나는 박종호입니다

나는 박종호입니다

박종호 지음

국민일보

감사의 마음으로...

나에 관한 책을 쓴다는 것이 '부담감' 이란 큰 짐으로 다가왔습니다. 원래 책하고는 담을 쌓았던 사람이라 나에 관한 글을 쓴다는 것이 그렇게 어색할 수가 없었습니다.

낙서장 같은, 때로는 일기장처럼 부끄러운 나의 솔직한 고백을 펼치는 이유는, 어느 봄날, 미국 버지니아의 여행길에서 읽었던 한 원로 목사님의 자서전 속에서 그분 삶을 통해 역사하신 하나님의 은혜에 힘입어, 나의 미숙했던 시간들을 뒤돌아보며 나의 이야기를 나누기 위함입니다.

나처럼 죄를 사랑하고, 죄에 빠지기 좋아하는 사람의 이야기를 통해서도 내 인생을 붙드시는 하나님의 은혜가 전해지길 바라며, 때로는 실수투성이인 나의 삶을, 때로는 알몸으로 벗겨지는 듯한 나의 고백을 하나도 가감없이 털어놓았습니다.

이 책이 전도용이냐 아니냐를 떠나, 기독교인을 위한 책이냐 아니냐를 떠나 누구나 편하게 읽을 수 있는 책이었으면 좋겠습니다.

사람을 구분하여 햇빛이 비취지 않고 비가 내리지 않는 것처럼, 우리가 함께 이 땅을 디디고 서 있는 것처럼, 누구나 공감할 수 있는 이야기이길 바랍니다.

이 책을 읽는 모든 분들께 다듬어지지 않은 나의 솔직한 이야기를 너그럽게 봐주시길 부탁드립니다.

음악의 통로로만 비춰지는 가수가 아닌 박종호라는 한 인간이 만들어지는 과정 속에서 하나님의 자취를 느끼시기 바랍니다. 인생의 전반부를 지나 중반부를 준비하는 지금, 저의 삶에 예비된 하나님의 계획과 인도하심을 함께 기대해 주신다면 좋겠습니다.

나의 사역을 위해 애정을 갖고, 그동안 오래 참으며 이 책이 나올 수 있도록 함께 하여준 제네시스21 박정희 사장, 15년 동안의 나의 사역이 기록으로 남아 있지 않아 늘 안타까워

하며 이 책이 나올 수 있도록 격려, 계획하여 준 소중한 친구, 한용길 형에게 고마움을 전합니다.

며칠밤을 밝혀가며 내쉬빌에서 실수 투성이의 이야기를 하나도 빠짐없이 들어준 사랑하는 슬해군, 부족한 사람의 찬양을 통해 하나님을 더 사랑하게 되었다며 이 책이 만들어지도록 밤 낮 없이 애쓰며 기도, 수고 정리하여준 우리 효경이와 태은이에게 감사의 마음을 전합니다.

언제나처럼 아무 불평도 없이 구원투수로 함께 책의 마무리를 위해 수고한 홍진성 · 박소연 부부….

나의 솔직한 이야기를 나누면서 언제나처럼 따뜻하고 너그러운 사랑으로 나를 이해해 주는 사랑하는 나의 아내 김선아에게…. 너만 사랑해!

나의 가장 사랑하는 지현, 찬영, 지윤이에게 5-1=0, 내 사랑의 전부를 전합니다.

여기까지, 아니 앞으로도 내 인생을 철저히 붙들어주실 하나님께 나의 전부를 드립니다.

또한 이 책으로 함께 만나게 되어질 모든 분들의 삶 속에 우리를 결코 포기하실 수 없는, 우리를 사랑하실 수밖에 없으신, 그 하나님의 무작정한 사랑의 약점 앞에 우리 모두 당당히 서게 되기를 기도합니다.

박종호

차 례

1부 **His Story**– hiStory

부모 이야기

할아버지

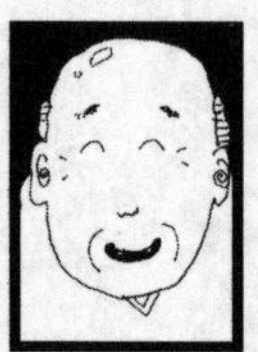

박 용 하. 할아버지는 독립 투사였다. 어사 박문수의 혈통, 대쪽 같은 성품의 할아버지는 일본의 압제에 강력하게 저항하셨다. 일제시대 군수를 지내신 할아버지는 김두환처럼 일본인 관리들이 모인 회의 장소에 오물을 부으셨던 적도 있다고 했다. 6 · 25가 일어나자 남한으로 내려온 공산군은 청와대 뒷산에서 할아버지를 도끼로 쳐죽였다. 아무도 그 죽음을 목격한 사람은 없었지만 부패된 시체의 썩은 옷에 할아버지의 함자가 남아있었다고 한다. 박용하. 그래서 나는 할아버지를 한 번도 뵙지 못했다. 그리고 아버지도 그 이상은 할아버지에 대해 말씀해 주지 않으셨다. 굉장히 엄하셨다고 하는데 할아버지는 우리 아버지께 어떤 아버지였을까…….

할머니

겨울이면 찾아가는 따뜻한 아버지의 고향. 그 곳으로 가는 뽀드득거리는 눈 길.

사립문 소리에 열리는 창호지 문과 나를 기다리고 있는 두꺼운 이불과 뜨듯한 아랫목. 그리고 군고구마와 곶감을 내오시던 할머니…. 그런 추억이 내게도 있다면 좋겠다. 3살 땐가, 4살 땐가… 명절이라 세배를 드리러 대방동에 있는 큰아버지 댁으로 갔다. 하얀 저고리를 입고 누워 계시던 할머니가 나를 불렀다. "종호야…" 돌아가시기 직전이라 할머니는 나를 안고 싶어 하면서 가까이 오라고 하셨다. 그런데 나는 귀신에게 끌려가듯 무서웠다. 아버지는 할머니가 부르는데도 가지 않는다며 화를 내셨지만 마른 대나무처럼 창백하고 앙상한 손이 겁이 났다. 어두운 바람이 이는 차가운 대나무숲 사이로 혼자 뒷걸음치듯 다가가지 못했다. 그 후로 며칠이 지나서 할머니는 돌아가셨다. 그래서 나에게 할머니는 무서웠던 기억으로 남아 있다.

아버지, 박 민 택

아버지? 글쎄 뭐라고 말을 시작해야 할까. 출중한 외모에 거침없는 말투, 지나치게 똑똑하셨던 것 같고, 재미있는 분이지만 무서울 때도 많았다. 직장이나 가정, 어느 곳에도 뿌리 내리기 힘들어했던 분이셨다. '소낙비 내리는 오후' 같은 분? 뜨겁고 화통하고, 잔뜩 화가 나도 곧 소나기처럼 쏟아버리고 다시 혈기 왕성한 그 모습을 찾으시는 분이다. 자신에게 지나치게 솔직하셨던 분, 자신을 누르지 못해서 좋은 길이든, 나쁜 길이든 한 번씩은 꼭 가보고 싶은 호기심을 품고 사신 분. 어쩌면 어느 순간부터 성장하지 않는 아이의 습관을 숨기고 사시는 소년 같은 분이었는지도 모른다.

그래서 말썽 많던 어린 시절에는 그렇게 아버지와 잘 통할 수가 없었다. 고등학교 때까지도 머리를 물어뜯으면서 레슬링을 할 정도였으니…….

아버지는 특히 영어에 능통하신 분이셨다. 오사까 외국어 대학교 영문과를 졸업하시고, 6 · 25 이후 미군정 시대에는 미군부대 소속의 치안국 수사과에서 통역관으로 계셨단다. 아버지는 내가 어릴 적부터 초등학교, 중학교, 고등학교를 들어가고, 대학교에 들어갈 때도

〈NewsWeek〉 같은 외국 시사잡지를 보시며 정치에 관해 이야기해 주셨다. 결혼한 후에는 내 아내도 〈NewsWeek〉를 보고 계신 아버지를 신기하다는 듯이 보았다.

수사과장 시절 이후에 아버지는 '서울사범학교'의 영어 교사로 재직하셨고, 또 배문고등학교의 창립 멤버로 '훈육주임'으로 계시기도 했다. 영화잡지사 사장을 하신 적도 있었는데 영화배우 S는 아버지의 회사 잡지에 인터뷰가 실린 후에 뜨기 시작했다고 한다.

머리가 비상하신 아버지는 세상이 내버려두지 않는 출중한 외모까지 가지셨다. 서울사범학교에서 영어 교사로 재직하실 때는 별명이 '히틀러'였다. 외국 영화배우 중에서는 '몽고메리 크리프트'를 닮았고, 불량끼가 빠진 '제임스 딘'과 닮기도 했다. 그런 아버지는 여자들에게 인기가 많으셨던 모양이다. 아버지의 첫번째 부인은 서울사범학교에서 같이 근무하시던 동료 교사였고, 두번째 부인은 치안국 수사과 시절에 만난 여경찰이셨다. 두번째 부인과도 이혼하신 아버지는 우리 어머니와 결혼하셨다. 아버지의 두번째 부인은 우리 어머니의 직장상사였다고 한다.

하루는 집에서 TV를 보고 있을 때였다.

"전두환 대통령은……."

어느 절에서 '불상 기공식'에 참여

한 전두환 대통령. 그 뒤로 스님들 몇 분이 서 계셨고 대통령과 함께 삽질을 하고 계시는 아버지가 보였다. '한국 법상종 불교협회 신도회장' 을 지내실 때였다.

비구니가 많은 '수국사' 라는 절의 재산 관리를 하시던 아버지. 당신의 말년에는 점쟁이처럼 사주팔자도 보아주고, 부적도 그리면서 돈을 꽤 버셨다. 전 국가대표 레슬링 선수를 경호원으로 두셨고 고급 승용차에 기사까지 두셨다. 그 때는 '아, 우리 집도 경제적으로 피려나?' 기대했었지만 바람처럼 흘러 들어온 돈은 곧 바람처럼 흩어지곤 했다.

그 돈처럼 떠돌아다니시던 아버지. 돈이 생기면 집을 나가고, 돈이 떨어지면 집으로 오시던 불청객의 뒷모습을 가진 아버지. 그래도 문득 그리워지던 아버지의 대문 소리, 발 소리…….

아이러니컬하게도 예수님을 믿고부터는 아버지와 멀어지기 시작했지만, 나는 아버지를 사랑했다. 한때 가장 미워하는 분이기도 했지만 당신이 주신 아픔이 그 누가 준 아픔보다 더 컸던 것으로 보아 나는 아버지를 가장 신뢰했고, 기대했고, 또 사랑했음을 알았다. 새벽마다 법복을 입고 불공을 드리는 아버지의 등 뒤에다 대고 "예수 그리스도의 이름으로 명하노니 더러운 마귀야, 물러가라!" 라고 한 적도 많았다. 그렇지만 아버지는 천국에서 가장 만나고 싶은 분이다. 천국에서 다시 레슬링을 하며 놀 수 있을까.

나의 어머니, 방 순 옥

어머니는 한국에 경찰이 생긴 이래, 초창기의 여자 경찰이셨다. 또렷하고 시원한 이목구비에 제복이 잘 어울리던 어머니. 제복을 입고 있는 사진 속의 어머니는 '잉그리트 버그만'과 많이 닮았다. '이런 여자라면 한번 사귀어볼 만 하겠는 걸? 우리 엄마이긴 하지만….' 그런 생각이 들 정도로 잘 생기신 분이다. 그 매력적인 모습 때문에 우리 아버지도 6살 연상인 어머니에게 청혼했을 것이다.

가난하던 시절, 내가 가난하지 않다고 느끼고 살았던 것은 전부 생활력이 강한 어머니 덕분이었다. 형제 많은 집안에서 이름도 없이 '큰아이'라는 이름으로만 사셨던 어머니는 만주에서부터 몸에 밴 강한 생활력으로 '노는 꼴'을 못 보셨다. 경찰 제복을 벗은 후에는 적은 돈으로 이자놀이를 하시면서 돈을 모으셨고, "놀면 뭐하냐, 봉투라도 붙이자"고 하시며 밤새 봉투에 풀칠을 하시던 적도 있었다. 그럴 땐 어머니가 가끔은 부끄럽게 여겨지기도 했지만 그래도 그런 어머니의 부지런함 덕에 어머니의 금고 속엔 언제나 지폐가 가득하였다.

어머니의 금고는 가로 1m, 세로 20cm가 넘는 장롱 서랍이었다. 나는 어머니가 알뜰하게 모아두신 장롱의 지폐들을 꺼내 쓰는 걸 좋아했다. 그 당시 1000원이면 600원 하던 〈소년중앙〉을 사고 학용품과 과자를 실컷 사고도 남는 돈이었다. 나는 그것이 훔치는 행동임을 모른 채 계속 꺼내 썼다. 그런데 한번은 얼마나 많이 꺼내 썼는지 서랍의 돈 통이 움푹 패인 적이 있었다. 그날도 나는 청파동 숙대 입구에 있는 우리 가족들이 '노란집' 이라고 부르는 곳에서 놀고 있었다. 해가 뉘엿뉘엿 떨어지고 어슴푸레한 저녁이 되어도 집에 갈 생각을 하지 않았다. 아버지는 퇴근길에 '노란집' 에서 놀고 있는 아들의 뒤통수를 보셨고, 나는 곧 아버지에게 뒷멱살이 잡힌 채로 끌려 나왔다. 아버지는 못된 고양이의 버릇을 가르쳐 주시기 위해서 나를 계단으로 던지셨다. 그것이 아버지에게 맞았던 처음이자 마지막 기억인 것 같다.

그렇게 억척스럽게 돈을 모으셨어도 어머니는 인색하신 분이 아니었다. 어머니는 손이 큰 분이셨고, 그 어머니의 아들인 나는 사고 싶은 것이 있으면 그것이 손에 들어오기 전까지는 한 발짝도 움직이지 않는 스타일이었다. 어머니는 그런 내게 딱지 하나를 사도 '청계천 도매시장' 에서 박스째로 사주셨다. 다른 아이들이 가진 몇 십 장, 몇 백 장의 딱지는 어머니가 사주신 몇 만 장의 딱지와 게임이 되지 않았다.

그리고 우리 집에는 무지하게 큰 똥개 '메리' 가 있었는데, 그 개집은 항상 내 딱지와 구슬로 가득 차 있어서 잠잘 자리가 없는 메리는 매번 외박을 해야만 했다. 구슬은 결이 5개 있는 '오방 다마' 로 가장 비싸고 좋은 구슬이었다. 어머니는 항상 가장 좋은 것을 많이 사주시는 분이었다.

"너만 아니었으면…." 어머니도 아내의 자리를 잃어가는 다른 어머니들처럼 그런 말씀을 자주 하시곤 했다. 그래도 하고 싶은 것도, 갖고 싶은 것도 많던 나의 손을 잡고 골목 골목 좋은 것을 찾아다니시던 어머니였다.

외로울수록 더욱 강해지던 의지로 나를 지켜주셨던 분. 인생의 막다른 골목일수록 더욱 내 손을 놓지 않으시던 분이었다. 바람이 거세질수록 더욱 아기 새를 깊이 품는 기러기의 품처럼 따뜻했던 어머니가 그립다.

지붕.
지붕은 비바람과 뙤약볕으로부터
변함없이 그 자리에서 나를 덮어 보호해준다.
탁 트인 하늘을 가리는 것 같아
답답한 적도 있어 뛰쳐나갔던 그 그늘.
부모님은 나의 지붕이었다.
이제는 내가 그분들에게 지붕이 되어 드리고 싶다.

23년간의 비밀

내가 전부인 듯 살아오신 어머니의 23년간의 비밀.

돈이 생기면 집을 나가고, 돈이 떨어지면 다시 들어오시던 아버지와 사시며 갖은 고생을 다하신 나의 어머니. '이자 놀이'를 하시며 억센 인생을 사신 당신이 나를 지키듯 지켜오신 당신의 비밀.

한 가정의 가장이 되는 순간에야 알게 된 나의 비밀들.

1985년 5월, 나의 스물세 번째 되던 해에 아내와 혼인신고를 하러 간 날, 호적초본에서 낯선 이름들이 보였다. 아버지, 어머니, 나 그리고 낯선 몇 개의 이름들. 23년 동안이나 외동아들인 줄 알고 자란 내게 형제가 있었다니. 나보다 몇 살 많은 형과 나와 동갑인 두 누이들.

"아버지, 이게 어떻게 된 일입니까. 이 사람들은 누굽니까?"

"입양한 애들이다."

넉넉하지 못한 형편에 입양이라니. 그래도 나는 순진하게도 얼버무리는 아버지의 변명을 믿었다. 아버지보다 6살 연상인 우리 어머니가 아버지에게 세 번째 부인이라는 사실을 안 것은 내가 결혼을 하고서도 한참이 지난 뒤였다.

그 비밀들을 지독하게 외롭던 어린 시절에 알게 됐더라면 어땠을까. 내 어머니를 힘들게 하는 아버지를 미워하여 그것이 오히려 어머니에게 상처가 되게 하진 않았을까. 어쩌면 나보다 더 외로웠을 이복 형제들에게 아버지를 빼앗아간 원수로 빗나간 사춘기를 보내지는 않았을까.

내 형제의 이름

1985년 결혼 후 어느 날, 만취한 아버지는 서럽게 우셨다. 꺾일 줄 모르는 기세와 큰 목소리로 잘못을 해도 당당하기만 했던 아버지, 당신의 서럽게 흔들리던 뒷모습이 잃은 듯, 혹은 버린 듯 살아오신 당신의 부정(父情)이었는지……. 세월의 한 허리가 잘려나간 듯 오열하시던 밤이었다.

그 날은 아버지의 첫째 아들이 죽은 날이었다. 박종일, 아버지와 같은 학교에서 함께 교사로 근무하시던 첫째 어머니의 아들이었다. 형은 20대에 B.M.W. 승용차를 뽑고 첫 운전을 하던 날, 샌프란시스코 계곡에서 한 미국인 청년과 자동차 시합을 하다가 계곡 아래로 떨어졌다고 한다. 형은 뒤집어진 차 안에서 다친 흔적 하나 없이 발견되었지만 이미 숨져 있었다고 한다. 그리고 그 사건의 충격으로 첫째 어머니도 얼마 후 면도칼로 손목을 끊고 자살을 하셨다고 한다.

먼 땅 미국에서 들려온 아들의 임종 소식. 낳기만 하고 키우지 못한 아들의 죽음과 죽은 얼굴조차 대하지 못하게 했던 세월의 빚을 눈물로만 쏟아내던 밤이었다.

1989년 나의 첫 미국 여행.

이방인으로 처음 그 땅에 발을 딛는 순간, 나는 한 번도 보지 못한 내 형제들을 그리워하고 있었다. 외대 영문과를 나와 미국에서 공인회계사를 하고 있던 영심이 누나와 수경이. 물어 물어 찾아간 내 형제와의 어색하지만 좋았던 첫 대면. 그렇게 불러보고 싶었던 내 형제의 이름. 오랜 아픔을 안고 자란 사람이 건네주던 따뜻한 말들. 어른이 되어서야 만난 형제들의 말없이 서로를 위로해주던 시간들.

떨어져 살았지만 사랑하였음이 가장 큰 좌절감으로 남았었지만 '핏줄' 이란 건 '용서와 기다림의 언어' 가 아니었는지…….

서자 중 서자, 그 은혜의 계보

사실, 어머니는 나를 낳기 전 세 번이나 유산을 하셨다고 한다. 몸이 약해진 어머니는 나를 낳기 전 주사를 맞으며 병원에 누워 계셨다. 그리고 나를 낳은 후에도 두 번이나 더 유산을 하셨다고 한다. 정확히는 모르지만 우리 아버지가 어머니께 첫 번째 남편이 아닌 것도 같았다. 집안의 반대로 좋아하는 사람과 결혼을 못하고 유산을 해서 몸이 많이 약해지셨다는 소리를 외숙모가 아내에게 했다고 한다. '서자 중 서자'로 태어난 나는 나의 이런 계보를 보면 절대 교만해질 수 없는 사람이고, 그래서 예수의 계보가 내게 더 은혜가 되는 것 같다. 다윗과 밧세바 사이에서 적자로 태어난 솔로몬과 또 이방 여인의 계보를 이어 예수의 예언된 탄생이 내게 은혜가 되었다.

정식 이혼을 했으면서도 1962년생 자녀를 셋이나 둔 아버지. 간신히 나를 낳고도 유산을 계속 하신 어머니. 내 계보에 적히지 않은 또 누군가의 이름을 다 알진 못하지만 '나'라는 한 사람이 나기까지는 '은혜'라는 말로 밖에는 표현할 수 없을 것 같다.

2부

영리한 소년 성장기

0살 : 生

한국에서 사주관상을 보는 사람들은 호랑이 년, 호랑이 달, 호랑이 날, 호랑이 시가 맞아떨어지면 큰인물이 된다고 한다. 그래서 아버지에겐 내가 태어나던 날이 그렇게 원통할 수가 없었다고 한다. 호랑이 날인지, 시인지 둘 중 하나가 모자랐기 때문이다.

"우리 병원 개업 이래, 이렇게 조그만 아이는 처음입니다."

〈목영자 산부인과〉에서 나를 받은 의사선생님이 한 말씀이다. 태어날 때만 해도 나는 정상아의 1/2에 지나지 않았다. 피부는 철색이었고 살이 없어 가죽이 축 처진 그림 속의 석가모니 같은 모습으로 태어났다. 그런데 사람들은 내가 태어났을 때부터 무지 크게 태어난 줄로 아는 것 같다. 아니, 우리 어머니가 코끼리나 하마가 아닌데 어떻게 내가 날 때부터 클 수가 있겠는가.

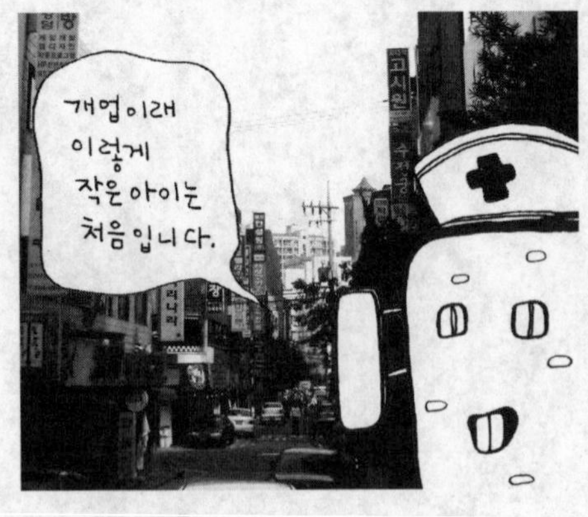

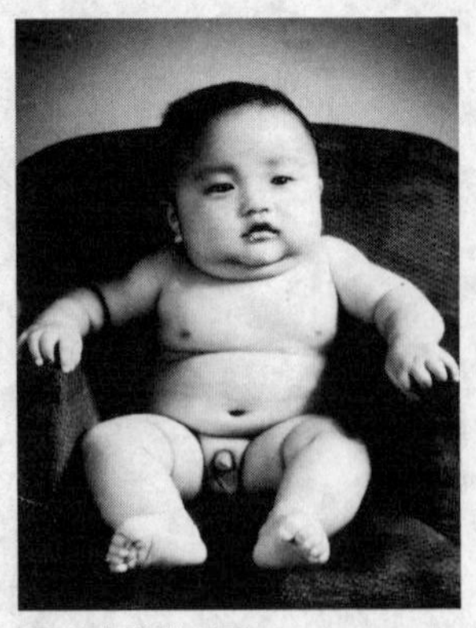

문제의 백일 사진

100일

마흔이 넘어서도 백일을 기억하는 사람이 있을까? 내가 백일을 기억한다고 하면 믿는 사람이 있을까?

나는 정말로 기억이 난다. 백일 기념일에 사진관에 갔던 것이 기억난다.

남영동 2층 사진관과 밤색 체크무늬 의자와 맨살에 닿았던 그 의자의 촉감….

그런 말을 하면 사람들은 "에라, 이놈아! 그럼, 네 엄마 뱃속도 다 봤겠다!"고 놀리지만 나는 나의 백일을 기억한다. 그 때까지만 해도 젖살이 올라 통통했었는데 엄마 젖을 떼자마자 본연의 색깔로 돌아갔다고 한다.

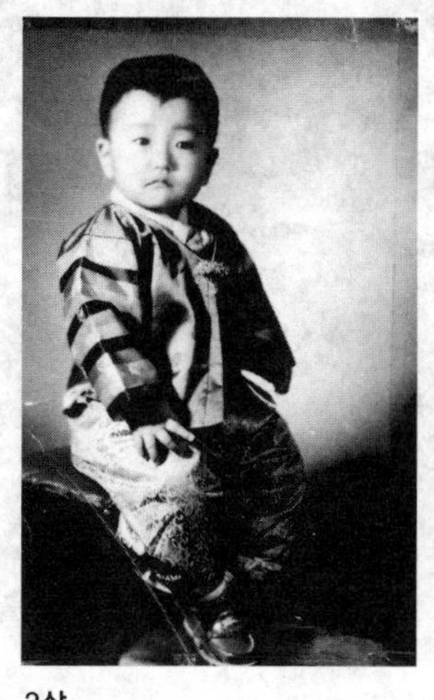

3살

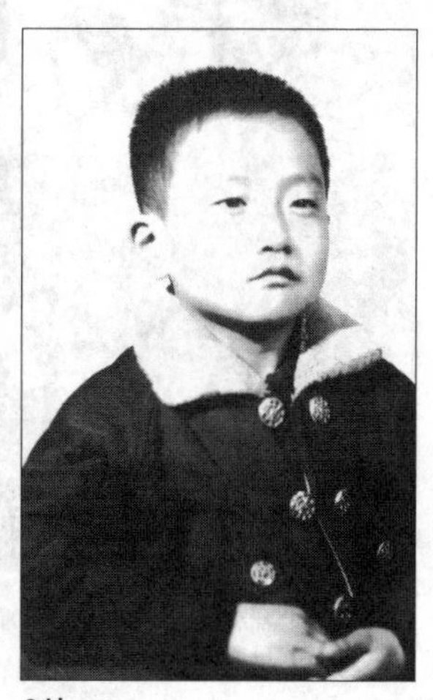
6살

3살

이모부가 연세대 세브란스 병원 이비인후과 박사 학위를 받는 날이었다. 그 때도 여전히 비쩍 마르고 새까만 내가 이리 저리 돌아다니는 것이 산만했는지 외삼촌이 '얘는 왜 데리고 왔냐' 며 아버지에게 눈치를 주려고 하셨다.

"형님은 아들이 없어서 모르십니다."

간장단지 뚜껑 뒤집듯 아버지가 큰외삼촌의 속을 뒤집어 놓으셨다. 큰외삼촌은 딸만 다섯이다.

아래 중앙 새까만 얼굴이 나, 옆에 한복 입으신 분이 어머니, 그리고 졸업하시는 이모부 양쪽으로 딸들이 서 있다.

홍콩 녹용 사건

워낙 작게 태어난 애가 피부는 너무 새까맣고 살도 찌지 않고 크지도 않아 아버지께서는 녹용을 사오셨다. 약을 올려놓고 중국 마작에 몰두해 있는 두 부부. 부엌에서는 '홍콩산 녹용' 이 활~활~ 타고 있는 것을 몰랐다. 그 비싼 녹용을 다 태워 먹고 화가 나서 어쩔 줄 몰라 하시는 아버지. 내 입에 사발을 들이미셨다. 멀건 국물이 아니라 숯덩어리 같은 것이 섞여 있는 시커멓고 걸쭉한 국물을 사발째 먹이는 것이었다.

나는 주는 대로 다 받아먹었다. 그리고 먹는 대로 다 토해냈다.

"아니, 이 놈이 이 비싼 녹용을 왜 다 토해? 이 아까운 걸 왜 토해!!!"

다음 날 한약방에 찾아간 아버지에게 기겁을 하며 한의사가 말했다.

"애가 병신이 안될 팔자였으니깐 다 토했지, 안 그랬으면 뼈가 다 휘어 녹았을거요."

p.s. 녹용은 한 스푼씩 어쩌다가 한 번씩 먹이는 것이랬다.

초등학생

초등학생 때는 철봉과 운동장에서만 살았다. '박쥐 놀이'를 하면서 철봉에 거꾸로 매달려 있으면 하늘이 흔들흔들. 그 짜릿한 느낌을 좋아했다. 그리고 나는 축구를 좋아했다. 어머니가 사주신 대표선수들이 쓰던 점박이 가죽 축구공이 보물 1호였다. 나는 축구를 하기 위해서 1시간이나 일찍 등교를 했고, 수업을 마치면 수위아저씨가 운동장에서 쫓아낼 때까지 친구들과 축구를 하고 놀았다. 우리는 어린 시절 모두 그렇게 놀면서 자랐다.

축구광 박종호, 뭐 믿고 날뛰나!

운동장에 요란한 비명소리. 골이 뭐길래.

1974년 3월 20일 청파초등학교로 전학 간 박종호(6학년), 축구부 하프백에 임명되었다. 연습 시간이 따로 없는 박군, 공을 차는지 사람을 차는지…. 아침부터 시작되는 축구 놀이에도 박군의 패스에 골을 넣지 못하는 친구는 넝마가 되어 운동장에 널리는데…. 기 싸움의 귀재 박종호, 파란만장한 축구 인생 멍드는 순간!

연 사흘 구타에 이어 오늘 또 골 못 넣은 친구를 구타한 박종호. 미래의 월드컵 전사, 박종호. 골 못 넣는 죄인, 샌드백으로 아나! 이제는 골키퍼도 겁먹고 골 막을까 두려워 허공으로 뛰는데….

니 공은 안 찬다!

가죽공도 마다하는 비닐 축구단.

1974년 5월 5일. 박군의 어머니는 박군의 생일을 맞아 박군에게 선수들이 쓰는 점박이 공을 사주었다. 그러나 비닐공은 차면서도 가죽공을 마다하는 선수들. "저 새끼 공은 안 차. 저 새끼는 맨날 때려"라고 하며 돌아서는 친구들의 입가엔 침이 가득. 돌아서는 친구들의 뒷모습을 보며 박군의 눈엔 눈물이 가득.

성격은 죽었다. 그러나 축구광은 죽지 않았다.

– 4:3 접전. 득점왕 박종호, 3골 뻥! 뻥! 뻥!

1982년 0월 00일 서울대 성악과 vs. 기악과 축구 시합에서 물오른 실력을 과시하는 박종호. '노 골은 노골일 뿐, 죄는 아니라' 며 인고의 깨달음을 가지고 돌아온 축구광, 박종호.

4골 중 3을 넣어 팀을 승리로 이끄는데. "체대 가지, 왜 음대 왔나." 의아해하는 기악과 선수들. 물오른 박종호, 시기하며 약오른 기악과.

어깨까지 치렁이는 곱슬머리 날리며 종횡무진하며, 피아노과 여학생들의 주파수를 한 파장도 놓치지 않아.

고2. 체육대회우승

가족 축구단 꿈꾸는 박씨, 알찬 가족 계획 포부 밝혀

"전 아들을 좋아하거든요. 어렸을 적 30~40평 되는 집도 그렇게 넓고 허전해 보일 수가 없더라구요. 외아들로 자라는 걸 부모님이 보기 안쓰러웠던 모양이에요. 제가 초등학교 3학년 때부터 중학교 3학년 때까지는 외사촌 누나와 형이 우리 집에서 같이 살았어요. 외삼촌네 집이 제천에 있었는데 외사촌 누나와 형이 서울로 유학온 거였거든요. 그래서 형제처럼 살았는데… 나는 아들이 많았으면 좋겠어요. 이름도 다 지어놨는데… 박일, 박이, 박삼… 박구, 박십, 박십일…. 그래서 가족 찬양단처럼 가족 축구단을 만드는 게 꿈이죠. 나는 대표감독 겸 후보선수로 뛰면서 월드컵에 공헌하고 싶거든요."

역마차는 달린다

하루는 어머니와 부엌에 앉아서 솥을 안고 이야기를 하며 밥을 먹고 있었다. 어찌나 할 이야기가 많은지, 얘기를 하다 보니 한 솥을 다 먹어 버린 것이었다. '내가 통이 크긴 크구나…….' 처음으로 이런 생각을 했다. 초등학교 3학년 때의 일이었다. 그 때부터 살이 걷잡을 수 없이 찌기 시작했다. 급기야 초등학교 3학년 때의 별명은 '돼지'가 되고 말았는데 그렇게 자존심이 상할 수가 없었다. 그렇게 시꺼멓고 비쩍 말랐던 내가 돼지라니.

중학교 3학년 체력장이 있던 날이었다.

운동장 네 바퀴를 도는 '오래 달리기'. 간신히 두 바퀴 반을 돌았지만 아직도 한 바퀴 반이나 남아 있었다. 운동장에는 나밖에 없었다. 벌써 네 바퀴를 다 돌고 나무 그늘에 앉아 쉬고 있는 아이들이 보였다. '에이, 그냥 포기 할까… 그만 뛸까…….'

그 때 체력장에서 멀리 뛰기를 담당하던 선생님이 나에게로 뛰어오셨다.

'빨리 좀 뛰라고 그러시려나? 무리하지 말라고 그러시려나?'

선생님이 오셨다. 그리고 헉헉대는 내 속도에 맞추어 나를 계속 따라오셨다.

"역.마.차.는.달.린.다.역.마.차.는.달.린.다."

격려는커녕 그 선생님은 끝까지 나를 따라오며 놀리셨다.

화가 나서 당장 그만두고 싶었지만 나의 오기로 끝까지 달렸다. 집요하게 따라오는 비웃음 소리를 들으면서 포기하고 싶은 힘든 경주를 마쳐야 했다.

그 날 이후로 나는 고집스럽고 끈기 있는 사람으로 변했다. 그래서 사역을 시작한 이후 간혹 누군가 나에게 곤혹스러운 이야기를 할 때나 나를 공격하는 이야기를 할 때, 이런 얘기 저런 얘기를 들을 때 나는 그 때를 생각한다.

'그래, 나는 역마차다. 나는 내 갈 길을 간다. 그냥 묵묵히 기차 바퀴 돌 듯이, 이 일이 옳고 그름을 떠나서 내가 좋아하고, 내가 해야 할 일을 한다. 역마차는 달린다. 누가 뭐라 해도 달린다.'

미숑 스쿨

내가 중학교에 들어가기 몇 해 전, 시험을 쳐서 중학교에 들어가던 제도가 추첨제로 바뀌게 되었다. 아직도 잊혀지지 않은 추첨 번호, 5번! 용산중학교를 가고 싶었는데 듣도 보도 못한 숭실중학교가 걸렸다.

"종호야, 너는 미숑, 밋-숑 스쿨, 너는 미숑을 잡았어. 너는 미숑이 걸렸어."

미숑 스쿨에 걸렸다는 어머니의 말에 초등학생이 '미숑'이 무슨 말인지 알아야지……. 아니, 미숑? 미숑이 뭐야? 미용 학굔가? 미장원 하는 학굔가? 우리 집에 '브라더 미싱'이 있는데 재봉틀 만드는 학굔가?

나중에 알고 보니 일제시대 분인 어머니가 발음이 안돼서 미션 스쿨을 미숑 스쿨이라 한 것이었다.

해방촌 꼭대기에 있는 숭실중학교. 같이 추첨을 해도 다들 좋은 학교에 가는데 나는 꼭 이상한 학교에 걸린다. 후암동 평지에 있는 좋은 학교, 수도여고, 용산고등학교, 용산중학교, 그 명문을 지나 해방촌 똥통 학교를 향해 가는 어린아이의 심정은 참 더러웠다.

그래도 숭실중학교는 신앙 교육을 많이 시키는 학교였다. 수요일엔 성경 공부가 있었고, 매주 목요일엔 공식 채플이 있었다. 그리고 아침 조회 시간, 오후 종례 시간마다 매일 짧게 예배를 드리고 학생들에게 돌아가며 기도를 시켰다. 그러니 일주일에 14번이나 기도하는 시간을 가진 것이었다. 그 땐 아무것도 모르고 한 것이었지만 돌아보면 그것이 내 인생의 기초가 된 것 같다. 강제적인 부분도 많긴 했지만 신앙이 있든 없든 그런 환경에서 자랐다는 것이 얼마나 중요한지 새삼 느낀다. 하나님을 모르던 사람이 자신도 모르게 하나님을 그리워하게 되는 동기가 되는 것 같다. 새벽 공기처럼 신선하게 스며드는 교회의 종소리처럼.

미숑 스쿨인 '숭실중학교'에 가게 된 것은 내 인생의 큰 변화였다. 언제나 '배우는 자'로 살아가고 싶은 내게 처음으로 음악과 하나님을 가르쳐 준 곳. 인생의 고비마다 새로운 출발을 하는 내게 늘 같은 방향을 잡아주는 추억이 있는 곳. 가끔은 전력질주를 하고 가끔은 쓰러지는 마라톤 같은 인생, 그 인생의 희미한 출발선 같은 곳. 남산 중턱에 있는 짱구 학교. 말썽 많은 친구들과 교가를 부르며 올라가던 그 높은 길을 다시 걷고 싶다.

"♬ 남산에 우뚝 솟은 짱구 학교는 교장이 짱구니깐 교감이 짱구, 교감이 짱구니깐 학생도 짱구, 짱구 만~~~♬~세!"

반장의 탈을 쓰고

"나를 뽑아 주십시오. 내가 반장이 된다면 여러분을 위해 최선을 다해 일하겠습니다."

아직도 초등학생 티를 벗지 못한 입후보자들의 유치찬란한 선거유세가 계속 되고 있었다. 너나 할 것 없이 뻥을 치며 자기 자랑을 하는 입후보자들의 연설을 들으며 영리한 나의 머리는 재빠르게 회전했다.

'감수성을 자극하자! 한창 감수성이 예민할 때의 애들이니 감수성을 자극해서 감동을 주자!'

그 누구보다도 더 반장이 되고 싶었던 나의 연설이 시작되었다.

"여러분……."

캬~ 목소리 중후하고, 덩치 좋고. 권세와 명예를 초탈한 듯한 나의 주옥 같은 연설이 이어졌다.

"여러분, 나는 우리 반 반장에 어울리지 않는 사람입니다. 우리 반을 위해 정말 멋있게 일할 수 있는 그런 좋은 친구를 뽑는 게 좋겠습니다. 그러나 나는… 나는 그런 사람이 아닙니다. 나는 여기 있는 다른 친구들이 훨씬 멋있는 친구들인 것 같습니다. 저런 친구들이 우리 반을 이끌어가고, 이 반을 위해서 뭔가 할 수 있는 친구들인 것 같습니다. 나보다 더 큰 애정으로 이 반을 이끌어 갈 수 있는 친구들을 뽑아 주십시오."

예상대로 그것이 친구들에게 감동이 되었던지 63명 중 59명이 나에게 표를 던져 반장이 되었다.

아! 그런데 이게 웬일인가. 반장이 되고 보니 눈에 뵈는 게 없어졌다.

"야, 나와!"

떠드는 놈들은 무조건 주먹으로 다스렸다. 내 한 몸을 던져 사

중2. 6·25 웅변대회

랑의 주먹을 휘두른 것이다.

그러던 어느 날, 담임 선생님께서 부르셔서 교무실로 갔다.

"야, 이 자식아. 어떻게 했길래, 어 63명 중에서 59표를 받은 놈이…. 아니 애들이 원성이 대단한데, 63명 죄다 니가 싫댄다."

그래서 1학년 1학기가 반도 지나지 않았는데 반장을 뺏길 뻔했다. 휴~ 우~

한번은 중학교 때 예배 시간에 2층에 앉아 덩치 큰 친구들끼리 모여 짤짤이를 하다가 평소답지 않게 걸리고 말았다. 국사 선생님이 나의 뒤통수를 탁- 치며 말했다.

"야, 반장이라는 새끼가 짤짤이를 하냐, 예배 시간에? 따라 올라 와!"

교무실로 따라갔다. 대걸레를 쥔 국사 선생님이 물었다.

"몇 대 맞을 거야?"
"세 대만 맞겠습니다."

중후하고 위엄있는 목소리로 대답했다. 더 맞으면 갈 것 같고 쪽팔리게 한 대만 맞을 수는 없고…….

"세 대만 때려 주십시오."
"엎.드.려."

후우욱~!!!! 바람 소리와 함께 나는 바닥에 파악--- 뻗어버리고 말았다. 세상에, 그렇게 아픈 건 처음이었다. 더 이상 맞으면 죽을 것만 같았다.

"엎드려, 이 새끼야."

"어허허흐흐흐흐. 어어어허흐흐흐흐."

입에는 개거품을 물고 두 손으로 허벅지를 감싸쥐고 바들바들 떨고 있었다. 거의 간질병에 걸린 사람처럼 떨고 있었다.

"새끼, 약속을 했으면 남자 새끼가 맞아야지. 니가 맞겠다고 했잖아, 새끼야."

"어허허흐흐흐흐. 못 맞겠…. 어어어어흐. 못 맞겠습니다. 선생님. 어허흐."

"그래? 그럼 이 걸로 마지막이다."

간신히 한 대를 깎았다.

뻐억!!!!!!

"선생님, 고맙습니다."

사랑의 매에 인사를 안 하는 죄의 삯은 죽음이었다. 속으론 계속 욕이 나왔다.

'이씨. 고맙긴, 새끼야.'

"선생님, 고맙습니다."

화장실로 뛰어갔다. 질퍽질퍽한 허벅지를 옷을 벗고 봤더니

중3 소풍. 뒷줄 중앙

살과 피가 다 터져 마구 섞여 있는 게 아닌가.

"아이 씨. 내가 이놈의 미션 스쿨, 들어오고 싶어서 들어왔나. 예배 시간에 짤짤이 했다고 때리고."

더 웃긴 건 내가 대학교 4학년 때 친구 어머니 장례식에 '조가'를 부르러 갔다가 그 선생님과 마주친 일이었다. 남자들은 아무리 맞아도 선생님에 대한 정이 많이 남게 된다.

"선생님, 저 기억하십니까?"
"어… 종호 왔구나."

'조가'를 부르고 나왔더니 그 선생님에게 한 사람이 다가가 이렇게 말하는 것이었다.
"아, 목사님. 오셨습니까?"

'아~~~~~~~~ 저 인간 목사 됐어? 그때는 그렇게 패더니 아, 저게 목사야?'

살풀이 : 싸움으로 살을 푸는 살인 용의자?

아아, 험한 세월….

중학교 때 '12인조'라는 유명한 조직이 있었다. 아니, 하하하하, 나는 깡패는 아니었다. 그런데 소시적 축구 좀 못한다고 나한테 맞던 놈이 숭실중학교의 '짱'을 하고 있는 것이 아닌가. 반가웠다. 그래서 선천적인 껄렁끼와 후천적인 객기가 있던 나는 그 조직의 일원은 아니었지만 게스트로 따라다녔다.

나의 역할은 12인조의 아류인 '가짜 12인조'를 소탕하는 것이었다.

"야이~씨! 늬들이 12인조야?"

퍼벅. 퍼벅. 퍽. 퍽. 퍽!!!- 퍼어억 퍼버벅!!!!

아아, 험한 세월~ 한번은 살인 용의자로 몰린 적도 있었다.

등교길이었다. 아침부터 나를 쳐다보며 실~실~ 웃어대는 난지도 생쥐 같은 놈. 신용산중학교 교복을 입고 있었다.

"뚱뚱한 놈 처음 보냐?"

찬란한 햇살!!! 상쾌한 등교길!!! 아침부터 이런 씨~ 생쥐와 싸움이 붙었다.

그런데… 아아, 생쥐의 몸놀림이 예사롭지 않았다. 아침부터 싸우기가 귀찮았지만 내가 질 것 같았다. 그래서 쏜살같이 쌀집으로 뛰어들어가 '쌀 푸는 삽' 같은 것을 갖고 나와 휘둘렀다.

이후로도 그 녀석은 날이면 날마다 나를 찾아왔다. 아침마다 집 앞에서 싸우자고 기다리고 있었다. 아아, 녀석의 징그러운 성실함….

어느 날 경찰이 집으로 찾아왔다. 녀석이 어느 공원에서 맞아 죽었다는 것이었다. 중학교 2학년인 내가 살인 용의자로 몰릴 뻔하였다.

"종호야~ 노올자~" 사건이 일어난 날 친구들이 찾아왔었다.
"안돼, 아버지가 집에 계셔서 못나가 놀아…."

다행히 그날, 나는 집 밖으로 나가지 않았다. 만약 그 때 친구들과 나가 놀기만 했어도 나는 유력한 살인 용의자로 지명되었을 것이다.

공원에서 패싸움이 붙은 모양이었다. 녀석을 아니꼽게 보던 동네 친구녀석들이 마치 영화 속 장면처럼 때리다가 의식을 잃으면 물을 뿌려서 깨우고, 또 때리다가 의식을 잃으면 물을 뿌려 깨우고…. 결국 온 몸에 피멍이 들고 심장에 물이 차서 죽은 모양이었다.
그 때 내가 그 자리에 있어서 소년원에 갔었더라면 나는 어떻게 됐었을까….

시험지 도난 미수사건 1

“종호야, 시험지 훔치러 가자~”

‘짜장면 먹으러 가자, 교회 가자, 회개하러 가자, 불우한 이웃을 위해 봉사하러 가자’ 가 아니라, 시험지 훔치러 가자구? 역시 사람은 친구를 잘 만나야 한다. 그 날도 의리 있는 내 친구들이 시험지를 훔치러 가자고 했다. 반장인 내가 함께 가면 마음도 푸근하고 든든할 거라고 생각했던 모양이다. 흠, 녀석들….

사건이 일어나는 밤의 달은 유난히 푸르다. 저벅. 저벅. 저벅. 삐그덕거리는 나무 복도를 당당하게 걷는 사고뭉치들. 마음은 콩밭이다. 창 너머 푸른 달과 또렷하고 긴 그림자가 계속 따라온다.

드디어 복사실. 외로운 시험지들이 어두운 복사실 안에서 우리를 기다리고 있겠지. 삐그덕….

문을 열자… 낯익은 소리가 들렸다.

퍽퍽퍽퍽퍽퍽퍽!!!!!!!!!! 누군가 억울하게 맞는 소리….

“아니, 이 새끼들은 또 누구야?”

방독면이 필요했다. 눈이 따갑고, 호흡이 곤란할 정도로 담배 연기가 자욱했다. 그곳엔 이미 다른 누군가가 와 있었다. 똘마니들 군기를 잡고 있던 동네 고등학교 깡패형들. 뜨거운 연기와 새빨간 담뱃불. 지옥이 따로 없었다.

시험지는 훔치지도 못하고 밤새도록 덩달아 맞다가 넝마가 돼서 돌아왔다.

다음 날 아침 욱씬거리는 몸을 이끌고 학교에 갔더니 또 담임이 부른다. 아버지를 불러 오란다.

넝마가 되어 돌아가던 놈 중 누군가 시험지를 챙겨 간 모양이다. 정신력이 좋은 놈이다. 그런 놈으로는 꼭 내가 지적된다. 이런!

학생부장 선생님과 면담을 하러 들어가신 아버지.

"이런 놈은 짤라야 합니다."

아니, 우리 아버지 맞나? 자초지종을 구차하게 설명하기는커녕 이런 아이는 짤라야 한다고 유창하게 설득하고 있으니. 역시 사람은 아버지를 잘 만나야 한다.

아아, 그러나 아버지가 원하시던 것은 나의 '퇴학'이 아니었다. 일찍이 교직에 계시던 아버지의 비상한 작전! 아버지가 선수를 치신 것이었다. 키하~

그래서 이번 시험지 도난 미수 사건은 실형, 무기 정학 2달 반에 그치고 말았다.

뜻밖의 스카웃 제의

"♬ 꽃 피이-이 느은- 도옹 백 써어엄에 보오옴 이 왔♪"

"야, 종호야, 선생님이 너 나오래."

책상에 드러누워 구슬프게 용필이 형의 '돌아와요 부산항에'를 부르고 있는 빡빡 머리를 찾는 사람이 있었다.

'아아아아 씨, 또 뭐가 걸린 거야?'

교실 복도엔 담임도 학생과장도 아닌, 콩쿠르 대회에서 나를 심사해 주시던 00예고 음악부장 선생님이 서 계셨다.

"야, 박종호, 잘 있었니?"

"네. 어, 선생님. 여기 웬일이세요?"

"종호야, 너 혹시 음악 안 하겠니?"

"아이… 안해요. 음악 같은 거 못해요. 나는 검사할 거예요."

"왜, 너 음악하고 싶지 않아?"

"아니오."

"내가 00예고 음악부장인데 니가 기억이 나서 왔어. 여기 유연호 선생님 계시지?"

유연호 선생님은 당시 숭실중학교 음악 선생님이셨다. 선생님은 후에 미국으로 어렵게 유학을 가신 후 고속도로에서 차 사고로 돌아가셨다는데 내 인생에 음악을 하게 만드신 귀한 분이셨다. 그리고 성품이 맑고 정직하고 깨끗한 분으로 기억한다.

"유연호 선생님을 만나러 왔는데 너 있는 거 알고 왔어. 너 스카웃 하러 온 거야. 너, 00예고로 오지 않을래?"

"나를 스카우트를 한다고요?!"

"그래, 너희 음악 선생님이랑 한 번 의논해 보자."

선동열 같은 야구선수도 아닌데 스카웃이라구? 나를 스카웃해간다구? 갑자기 심장이 부글부글 끓기 시작했다. 갑자기 음악이 너무 너무 하고 싶어지는 것이었다.

사실 나는 음치였다. 초등학교에 입학하기 전, 녹음기에 대고 '송아지' 노래를 부른 적이 있는데, "♩송-아-지-. ♩송-아-지-. ♩얼-룩- 송-아-지-, ♩엄-마- 소-도- 얼-룩- 소. ♩엄-마- 닮-았-네" 정확하게 한 음도 떨어지지 않고, 모두 한 가지 음정으로만 초지일관 부를 정도였다.

효창초등학교 3학년 때였다. 그 때 우리 학교 교장선생님은 "♬ 동구 밖, 과수원 길, 아카시아 꽃이 활짝 폈네~"를 만드신 김공선 선생님이셨다. 그 때 처음으로 교내 콩쿠르 대회에 나가서 '장려상'을 탔다. "어, 나도 노래할 수 있네?" 음정도 모르던 내가 노래를 할 수 있다는 사실만으로도 나는 놀라웠다.

'콩쿠르 대회'에 나가기 전에는 어머니가 써 주신 원고를 들고 웅변대회에 나갔었다. 매번 떨어지긴 했지만 그 때 목소리가 트인 것 같다.

"여러분, 안녕하세요! 'KBS TV, 누가 누가 잘하나' 경연 대회입니다!"

주말이면 뚫어지게 TV를 쳐다보던 나를 그 대회로 데리고 다니신 분은 우리 어머니였다. 어머니는 다른 친구들의 어머니보다 15~20세 더 많으셨는데 내가 가고 싶어하는 곳은 어디든 데리고 다니셨다. 5학년 12월에 그렇게 나가고 싶던 'KBS 콩쿠르 대회'에 나갔다. 그런데 12월엔 연말대회가 있기 때문에 주말대회가 없다고 내년에 다시 나오라고 하는 것이었다. 그리고 6학년 때 청파초등학교로 전학을 간 후 드디어 4월에 그 대회에 나가게 되었다.

1974년 4월 둘째 주.

"♬ 파릇 파릇 잔디들이 돋아난 들에~"를 부르고 장려상을 받았다. 그 주에 1등은 지금 세종대학교 교수로 있는 '오은경' 이었고, 후에 서울대에서 3년 후배로 만나게 되었다. 그리고 나는 "♬ 동구 밖 과수원 길"을 부르고 4월 말 월말대회에 나갔다.

그 때 심사위원은 00예고 음악부장인 Y선생님, 중앙대학교 교수였던 김숙경 교수. KBS 어린이 합창단 지휘자, 이수인 선생님이었다. 그 때 그 오디오 테이프를 아직도 가지고 있는데 김숙경 교수님의 심사평이 다음과 같았다.

"KBS가 생긴 이래에 이렇게 노래를 잘 부르고 소리가 큰 학생은 처음입니다."

그 때 4월 월말대회에서는 최우수상을 받았다.

12월엔 연말대회에 나가 장려상을 받았는데 '동구 밖 과수원 길' 같이 큰 노래를 다시 가지고 나갔어야 했는데, 작은 노래를 한 것이 아쉬움으로 남는다. 후에 그 연말대회에서 최우수상과 우수상을 탄 친구들과는 지금까지도 형제같이 친하게 지내고, 현재 국민대학교 교수로 있는 옥상훈은 서울대 성악과에서 다시 만나게 되었다.

다시 돌아와서 얘기하자면 숭실중학교는 역사적으로 '합창반'이 유명하다. 나는 2학년 때부터 합창부 단원을 했고, 2학년 때는 학급 성가대 지휘자를 하기도 했다. 한 번은 '80주년 기념 음악회'를 이화여고 안에 있는 '류관순 기념관'에서 하는데 '솔로'를 할 수 있는 기회가 왔다.

그리고 그해 'TBC FM 학생 콩쿠르'에 나갔는데 떨어지고 말았다. 붙을 리가 없었다. 중학교 2학년은 나밖에 없었고 전부 음대를 준비하는 고등학생 형들이었다. 그러나 중학교 3학년 때는 결국 내가 이겨서 '기말 대상'을 탔다. 나는 마르고 닳도록 "♬ 새모시 옥색 치마~" '그네'를 불렀는데 고등학교 형들을 상대로 내가 이긴 것이다. 성악으로 음대를 준비하는 고등학생 형들을 중학교 합창부가 이긴 것이다.

그 때 '그리운 금강산'을 만든 최영섭 선생님이 "TBC FM과 함께 자라 정말 변하지 않고 그렇게 꾸준히 하더니 결국 입상을 했다"고 심사평을 하며 칭찬을 해 주셨다. 그 자리에는 우연치 않게 00예고 Y선생님이 계셨다. 결국 이렇게 Y선생님과의 만남은 계속 되었던 것이다.

나는 내가 스스로 의식하고 있는 것보다 노래를 좋아하는 아이였다. 그런 나의 다듬어지지 않은 재능을 Y선생님은 눈여겨 보아주셨다. 그 Y선생님께서 뜻밖의 제안을 하시러 남산 중턱까지 나를 찾아오신 날, 집으로 돌아가던 길에 요란하게 뛰던 심장 소리를 기억한다.

"종호라면 할 수 있습니다!"

그 날 저녁 00예고의 스카웃 제의를 아버지께 말씀드렸더니 집에서는 난리가 났다.

"이눔의 새끼, 미친 놈의 쌔끼. 검사해야지. 공부해 가지고 '서울대 법대' 나와서 검사해야지, 무슨 딴따라가 된다고! 집안 말아먹으려고??"

그것이 그 당시 보통 아버지들의 반응이긴 했지만 넌 아들도 아니라며 아버지는 팔짝팔짝 뛰시고 난리가 났다. 아무리 어머니가 설득을 해도 소용이 없었다. 하도 집을 나가라고 하시기에 '그럼, 나가야 되나보다' 하고 나가려고 했다. 그런데 화가 가라앉지 않은 아버지께서 "그럼, 그 선생님 한 번 만나보자"고 하시는 것이었다.

며칠 뒤 00예고 음악부장 Y선생님을 모시고 어머니, 아버지와 함께 동네에 있는 불고기집으로 갔다. 식사를 하는 그 자리에서 아버지가 말씀하셨다.

"나는 우리 아들은 음악 안 시킵니다. 음악 하는 사람들이라는 게 결국 졸업하면 학교에서 선생 하는 건데. 학교에서 선생 하는 정도로 음악을 시키고 싶진 않습니다. 이 애의 자질이 어느 정도입니까?"

아버지는 나를 옆에 두고 "얘가 세계적인 음악가가 될 수 있는 거냐"고 물으셨다.

"종호라면 할 수 있습니다. 종호는 세계적인 성악가로 자랄 수 있는 아이입니다."

결국 아버지는 선생님의 설득에 넘어가고 말았다.

나는 밥을 먹다 말고 생각했다.

'어? 내가 세계적인 오페라 가수가 될 수 있다구?
어… 골 때린다. 내가…….'

그리고 나서 그 다음 주에 Y선생님과 00예고 재단 이사장 앞에서 노래를 부르게 되었다. 마르고 닳은 '그네'를 또 불렀다. 사람들은 내 노래에 빨려 들어가는 것만 같았다. 이사장은 흔쾌히 나의 입학을 승낙했다. 그리고 고등학교 3년 장학금, 대학 4년 장학금, 대학 후에 유학을 가게 되면 그 학교 재단에서 장학금을 지원한다는 조건으로 나는 00예고에 입학을 하게 되었다.

나의 음악 인생 시작,
그리고 연예계 진출…

아~ 00예고 : 기고만장 편

아~ 00예고. 대리석 바닥과 '슈타인 웨이' 피아노가 수십 대가 있는 것보다도 더 좋았던 것은 여학생이 많다는 것이었다. 여학생 300명 vs 남학생 45명. 기막힌 황금률이었다. 쿵!쿵!쿵!쿵! 빡빡머리 박종호가 남녀공학에 발을 들여놓는 순간 심장이 어찌나 뛰놀던지.

고등학교 스카웃의 기고만장한 나의 고교 시절은 또 심금을 울리는 주옥 같은 반장 선거 연설로 시작되었다.

"여러분… 나는 우리 반 반장에 어울리지 않는 사람입니다. 나보다 더 이 반을 사랑하는 다른 친구들을 뽑아 주십시오. 나는 그 친구들을 말없이 도와주는 사람이 된다면 좋겠습니다."

3년 전 중학교 때의 그 연설을 그대로 우려냈다. 음~ 징한~ 맛! 세월이 변해도 아이들은 순수했다. 45명의 몰표를 받아 반장으로 되었다. 아, 내 마음대로 굴러가는 세상!

민방위 훈련이 있는 날이면 천여 명의 전교생이 지하에 모여 노래자랑을 했다. 인기 스타는 뻔했다. '00예중'을 졸업하고 나와 함께 '실기 장학생'으로 들어온 '조수미', 그리고 1년 선배인 '신영옥' 선배… 남자 대표는 나였다. 쇼!쇼!쇼! 박종호의 버라이어티 쇼! 민방위 특집! 애들은 느끼해서 못 보는 쇼! 박종호의 투

데이~ 빅데이 쇼!쇼!쇼!

"야, 남자애들 중에서 누가 제일 멋있어?" 재잘재잘. 1학년 3반 여자 애들끼리 인기 투표를 했다고 한다. 1학년 5반의 박종호, 심영진. 비록 남학생 후보가 45명에 지나지 않았지만, 이 세상의 모든 여자들이 나를 우러러보는 것만 같았던 시절이었다.

82kg, 성적은 반에서 2등, 전교 40~50등.
인기 투표 1위. 실기 장학생. 몰표를 받은 1-5반 반장.

그 때는 내가 어른이 된 줄 알았다. 더 이상 빡빡머리를 하지 않아도 되고 교복도 안 입어도 되고 고등학생 가방을 안 들어도 되고… 곤색 양복에 대학생 가방을 메고 친구들과 광화문 다방을 드나들며 놀던 시절. 아… 좋았었지.

첫사랑

드디어 2학년! 여학생 37명, 남학생 8명.

남학생 8명은 맨 뒷줄에 진을 치고 앉아 수업 시간이면 짤짤이를 하며 돈을 주거니 받거니 화목하게 공부하던 시절이었다. 친구 녀석 중 하나는 수업 시간에 갑자기 사라지는 묘기를 부리는 녀석이 있었다. 온 학교를 뒤져도 없던 녀석이 자기 책상 밑에서 닭 품의 병아리처럼 평온하게 잠든 모습으로 수차례 발견되곤 했다. 수업 시간 내내 그렇게 자고 있었던 것이다.

비율로는 4:1에 지나지 않던 남학생들의 성적이 어찌나 영향력이 컸던지 반을 꼴찌반으로 이끌었다. 하루는 인내심이 강한 담임 선생님께서 획기적인 아이디어를 내셨다.

"야, 일어나. 너희들, 다 자리 바꿔."

어느 날 아침 고향을 떠나듯 음침한 맨 뒷줄을 떠났다. 그리고 앉기만 해도 공부를 해야 할 것 같은 앞에서 두 번째 자리에 쭈욱~ 나열되었다. 그러나 더 기가 막혔던 건 짝궁을 진짜 여자 짝궁으로 바꿔버린 것이었다. 그것도 반에서 1등에서 7등까지. 공부 잘하는 여자 짝궁들과 앉아서 같이 공부하고 많이 배워 반을 빛내보라는 선생님의 획기적인 아이디어…. 안타깝게도 '과유불급'이라는 옛 성현들의 지혜를 여실히 증명하는 계기가 되었다.

투명하고 착한 여학생들. 어찌나 투명한 지 3일도 안돼 우리에게 물이 들었고, 어찌나 말을 잘 듣는지 곧잘 어울려 놀았다. 그래서 우리 반은 누구도 넘볼 수 없는 확실한 '꼴찌반' 으로 자리매김을 하고 있었다.

나의 짝궁은 양수진(가명). 전교 1등으로 입학을 해서 입학식 때 앞에서 선서를 했다고 별명이 '0선서' 가 된 아이였다. 내가 그 아이와 첫사랑에 빠지게 될 줄이야….

사실 나는 그 때 1-3반 반장, G를 좋아하고 있었다. 아니, 나뿐만 아니라 전교 모든 남학생들이 다 G를 좋아하고 있었다. 그렇게 좋아하면서도 편하게 말 한 번 못해보고 있던 때였다.

그러던 어느 날, 쉬는 시간.

수진(가명)이 책상에 엎드려 자고 있었다. 이마를 책상에 붙인 채, 두 팔을 책상 아래로 쭈욱~ 늘어뜨리고 자고 있었다. 삶에 피곤한 한 마리의 치타처럼, 당분간 세상 시름을 잊고 싶은 외로운 오랑우탄처럼… 양쪽으로 땋아내린 두 가닥의 머리와 편평한 뒤통수를 가로지르는 가르마…. 순간, 나는 나도 모를 어떤 충동에 이끌려 내 손을 수진의 편평한 뒤통수로 가져갔다.

빠억!!!!!!!

어찌나 세게 쳤던지 공중에서 대롱대롱거리던 수진의 손바닥이 교실 바닥에 가서 닿는 것 같았다. 나무 책상 속으로 수진의 얼굴이 파묻힐 것만 같았다.

왕구슬 같은 눈에 눈물이 그렁그렁 맺힌 채 수진이 나를 돌아

보았다. 아, 눈물이 한 방울 한 방울 쏟아나는 순간도 슬로우 모션으로 보이는 것 같았다. 수진이 내게 고개를 돌리는 순간에는 공중을 날아다니는 파리도 정지한 것만 같았다. 제발 울지마, 수진! 그렇게 세게 때릴 생각은 없었어. 미안해, 수진…….

"야, 박종호! 난 이렇게 나를 무시하는 애는 처음 봤어."

정적을 깨고 수진이 말했다.

"야, 씨~ 너, 공부 잘하면 다야? 건방지게… 공부 좀 잘하면 다냐구? 야, 너 앞으로! 내 숙제 해와!!!!!"

나의 첫사랑은 그렇게 폭력과 과제로 시작되었다.

양수진(가명): 이 여학생은
입학 장학생으로
훗날 종호의
첫사랑으로 기억된다

아, 험한 세월아

내 취미 중 하나는 수업시간에 양호실에 가서 누워 있기였다. 웬만한 탤런트보다 훨씬 예뻤던 양호 선생님. 양호실엔 애정 결핍증에 걸린 남학생들이 득실거리고 있었다.

"선생님, 배 좀 쓰다듬어 주세요. 배가 아파요."

그 때만큼 남들보다 넓은 배가 귀하게 여겨졌던 적이 없었다.

"야, 종호야, 담임 시간으로 바뀌었어. 어떡해? 담임이 너 오

뒤에서 두번째 줄, 오른쪽에서 네번째 잘생긴 그 학생이 바로 나.

래."

숙제를 내주거니 받거니 하며 어느새 묘한 사랑의 감정이 싹터버린 수진과 나. 수진이가 담임 시간으로 바뀌자마자 부리나케 나를 데리러 왔지만… 아우, 그 날도 긴 꼬리가 밟혀 담임에게 엄청나게 혼쭐이 났다.

새문화 창조, 새마음 실천…. 그렇다 내 말이 그 말이다. 새로운 기독 문화를 창조하는 것은 지금까지 이어진다.

또 다른 취미는 수업 시간에 '대공원'에 가서 청룡열차를 타는 것이었다. 00예고 철조망 밑에 대공원과 통하는 개구멍이 하나 있었다. 친구들과 즐거운 학창 시절을 위해 땀 흘리며 정성껏 파두었던 개구멍, 제 몫을 톡톡히 해냈다.

하루는 대공원에서 늦게까지 놀다가 학교를 나오는데 교문 앞 버스 정류장 앞에서 D고등학교 1학년 뺏지를 단 녀석이 나를 보고 씨익- 웃는 것이었다. 여기서 중요한 건 나는 2학년이었다는 사실이다.

"아, 이 새끼. 뚱뚱한 놈 처음 보냐? 너, 이 새끼, 선배도 없어? 너, 한 번 맞아 봐라."

오직 때리는 데에만 정신을 집중했다. 그런데 갑자기 옆에 있던 친구 두 녀석이 사라지는 것이 느껴질 정도로 분위기가 싸해졌다. '아, 치사한 녀석들.' 혼자 싸우라면 최선을 다해서 싸울 수밖에….

그 때는 혈기밖에 없던 때라서 돌로 찍으면서 싸우던 때라 돌을 찾아 두리번거렸다. 이럴 수가!

사방에서 수십 명의 D고등학교 학생들이 개떼처럼 몰려오고 있었다. 저 멀리 병을 깨서 흉기를 만들고 있는 내 귀한 친구 놈들이 보였다. '짜식들, 나를 버리지 않았구나… 그러나 나는 오늘 죽었구나.'

도망가는 수밖에 없었다. 어떻게든 인명 피해를 줄이기 위해 달아나야 했다. 아, 저기! 200m 앞에 활짝 열린 문이 하나 보인다. 그 문을 향해 벌처럼 날아갔다. 아.뿔.사!

파출소였다. 파출소 앞에는 각목을 든 수십 명의 D고등학교 학생들이 진을 치고 있었다. 다행히도 친절한 공공 경찰의 도움을 받아 학교로 인수되어 갔다.

그러나 집요한 D고등학교 학생들은 교문 앞에서도 진을 치고 기다리고 있었다. 그 날부터 나는 한동안 교문으로 하교를 할 수가 없었다. 담을 넘고 살과 살을 부대끼며 뛰어야 했던 힘겹게 출렁대던 도망자의 시절이었다.

수학여행 첫날. 여관 도착.

"야, 다 나와!"

여학생 하나가 여관 마당에 스테레오 전축을 틀어 놓고 혼자 춤을 추기 시작했다. 현란하고 유연한 몸 동작과 춤에 취한 얼굴. 어쩐지 그 저녁엔 어울리지 않는 듯한 객기였다. 고속도로에서 터널을 지나며 밀가루를 뒤집어썼던 담임선생님의 화가 아직 풀리지 않았다. 그리고 학생부장 등 선생님의 눈치를 보느라 아무도 수미의 말에 동요하지 않았다. 싸~한 분위기에 아랑곳하지 않는 댄싱 걸, 조수미.

"야, 너 담임이 들어가래."

무모한 발언을 서슴지 않고 했던 남학생.

"넌 뭔데, 이 새끼야, 선생도 가만히 있는데 네가 뭐라고 그래?"

학생부장은 그 학생을 몇 시간이나 두들겨 패고 말았다. 안타까운 교육 현실이다.

첫날 밤

친구들이 없어졌다. 한참 뒤에야 눈이 풀려서 돌아온 걸 보니, 잔뜩 마신 모양이다. 나쁜 놈들. 나만 빼놓고 가다니…….

술판이 벌어졌다. 트렘펫 하는 친구가 목이 많이 탔던지 정신없이 술을 마셔댔다. 짜식… 힘들었구나. 몸에서 열이 많이 나는 것 같았다. 속에서 술이 술술 타는지 가마솥처럼 온몸이 벌겋게 달아오르고 있었다. 더울 것 같아 옷을 벗겨 주었다. 실오라기 하나라도 더울 것 같아 죄다 벗겨 주었다. 그래도 더울 것 같아 방문을 활짝 열고 환기를 시켜주었다.

"어머머머머머머, 까아아악-----"

옷을 벗겨도, 여학생들이 보고 놀라 소리를 질러도, 꿈쩍도 안하는 친구.

지금 생각하니 장난이 너무 심했던 것 같다. 그 때 몹쓸 것을 본의 아니게 보았던 여학생들에게 진심으로 미안한 마음을 전한다.

둘째 날 : 아침

토함산으로 아침 산책을 가자고 깨운다. 한방에 자던 남학생 모두는 곤드레만드레 술에 취해 뻗어 있었다. 체육 선생님이 올라와서 일어나라고 난리다.

"이놈들, 일어나! 어서 일어나! 술을 얼마나 퍼 마셨으면…."

얼키설키 꼬여 누운 남학생들이 퉁퉁 부은 눈을 똑바로 뜨고 왈.

"아이씨, 저 새낀 또 누구야? 잠 좀 자자, 잠 좀 자!!"

어이가 없는 체육 선생님. 황당해 하며 문을 닫고 나간다.

둘째 날 : 점심

아, 내 침이 이렇게 달았나? 달짝지근한 땀이 자꾸 흘러 내려 찍어먹으면서 잠을 자다가 일어나 보니 치약이었다. 남학생들의 얼굴이며 운동화에 치약이 흥건했다. 아우, 씨.

다행히 아침 일찍 토함산에 다녀온 친구 한 녀석이 부지런하게도 도마뱀을 한 마리 잡아 왔다.

여학생들은 2층에서 옷을 갈아입고 있었다. 후후! 완벽한 거리와 각도 측정, 4시 방향에서 불어오는 천연 바람을 이용해 도마뱀을 던져 주었다. 솥뚜껑 같던 철의 여인들이 느닷없이 날아 들어온 도마뱀 때문에 놀랬는지 귀가 찢어지도록 소리를 질러댔다.

지금 생각하니 장난이 너무 심했던 것 같다. 그 때 몹쓸 것을 본의 아니게 보았던 도마뱀에게 진심으로 미안한 마음을 전한다.

시험지 도난 미수사건 2

S예고를 이겨야 한다는 중압감. 선배가 잘해야 한다며 공부에 대한 부담을 많이 주었다. 시험이 끝나면 전교 50등까지의 석차를 벽에 붙여두기까지 했다. 그런데 나는 공부를 별로 안 했는데도 성적이 잘 나와서 매번 전교 50등 안에는 들 수 있었다.

그러던 어느 날.

"종호야, 시험지 훔치러 가자."

파란만장한 나의 인생에는 어찌나 그렇게도 반복되는 대사가 많은지. 걸린다 해도 "이런 놈은 짤라 버리쇼"라고 말해 줄 아버지도 있는 터라 그러자고 했다.

느지막한 저녁. 담을 넘어 학교로 갔다. 잠이 쏟아졌다. 나는 사물함에 올라가 드러누웠다.

"야, 니네들이 털어와라."

비가 부슬부슬 내리는 새벽. 사물함에 누워 곤히 자고 있던 나를 친구들이 깨웠다. 문이 열리지 않아 창문을 따고 들어가서 시험지를 꺼내 왔다고 했다. 하하, 책임감 있는 녀석들.

상쾌한 새벽 공기를 마시며 학교 문을 나오다 수위 아저씨와 딱! 마주쳤다.

"안녕하세요!"

큰 목소리로 당당하게 인사를 하고 학교를 나왔다. 그 새벽 시간에 그렇게 큰 소리로 인사를 하다니 역시 나는 인사성이 밝은 놈이다. 그렇지만 그 인사가 결국은 화근이 되었다.

이른 아침. 미술반, 음악반 남학생들을 중국집으로 소집시켰다. 남자 중에서 공부를 제일 잘하는 녀석을 시켜 시험지를 풀게 하고 모인 놈들은 모두 시험지를 돌려 보았다.

운명의 시간이 다가 오고 있었다. 드디어 1교시. 5분 전… 4분 50초 전… 4분 40초 전….

아, 갑자기 학교가 술렁이기 시작했다. 학교에 도난 사건이 일어났다는 것이었다. 시험지 도난 사건…. 복사실에 남아있는 '운동화 자국' 으로 보아 학생의 소행이 틀림없다고 했다. 아우 씨, 마무리 못하는 놈들. 구두를 신고 갔어야 했는데….

학생부장이 우리를 불렀다. 며칠 전 D고등학교 애들이랑 패싸움한 것 때문에 그러나? 식당에서 달걀 훔쳐 먹은 것 때문에 그러나?

앗, 그 수위 아저씨!!! 인사만 안 했어도….

불길한 느낌을 떨칠 수가 없었다. 그럴수록 더더욱 발휘되는 영웅 심리….

"야, 우리끼리만 한 거야. 절대!! 중국집에 모였던 얘기는 하지 말자. 사나이들은 뒤집어 쓸 줄 아는 용기가 있어야 한다."

시험지를 풀고 나누어서 본 놈은 족히 15명은 넘었다. 그래도 우리는 사나이답게 말했다.

"저희 셋이서만 한 일입니다."

결국 교무실로 아버지가 출두하셨다.

"이런 놈은 학교 다닐 필요가 없으니, 짤라 버리쇼!"

예상했던 대사들. 무거운 분위기….

아, 무기 정학에서 그쳐야 할 텐데….

사건 바로 다음 날, 학교에 방이 붙었다.

"박종호, 김△△, 김 ㅁㅁ.

위의 학생은 '시험지 도난'이라는 불미스러운 일로 인하여 퇴학에 처합니다."

다시 아버지가 재차 출두하셨다.

"아니, 군대에도 '강등'이라는 것이 있는데 정학도 있고, 무기 정학도 있는데… 경고 조치도 없이 한번에 학생한테 퇴학이라니 그게 말이나 되는 겁니까? 더군다나 이 아이는 당신들이 스카웃 한 장학생인데, 그럼 장학금 지급을 그만두든지 하는 다른 방법도 많은데 꼭 이렇게 한번에, 그것도 담임도 없는 날… 퇴학을 시켜야겠습니까?"

아버지의 출두에도 불구하고 나는 퇴학을 당하고 말았다. 담임은 출장으로 학교에 없었다. 담임도 없이 학교는 우리를 잘라 버렸다.

지금으로부터 7년 전 어느 날, 00예고 동창들을 만나러 갔다가 우연히 그 선생님을 다시 만나게 되었다. 당시 학생부장으로 계시던 선생님. 선생님이 나에게 용서를 구하셨다. 00예고에 들어오기 위해서 기다리는 학생들이 많았다. 그 학생들에게 T.O.를 내주면 그 당시 한 사람당 몇 천만원 가량의 돈을 받았다고 한다. 당시 강남의 아파트 가격이 몇 천만원이었으니. 그렇지만 그렇다고 해서 장학생 3명을 퇴학시키다니….

마음이 아팠다. 그렇게 퇴학을 당하고 나서 인생의 낙오자처럼 살던 시절이 떠올라 마음이 아팠다. 15년이 지나고 사과를 받고서도 아물었던 상처가 다시 덧나는 것처럼 마음이 아팠다. 용서해 달라는 선생님의 말씀에 한참을 망설여야 했다. 오래 곪아 있던 상처를 도려내듯 아팠다. 그리고 참담한 우리의 교육 현실에도 마음이 아파왔다.

나는 퇴학을 당하고 나서 A고등학교 야간부에 편입생으로 들어가게 되었다. 아버지가 A고등학교 창립 멤버이셨기 때문에 전학은 쉽게 할 수 있었다. 그렇지만 특수 고등학교에서 일반 고등학교로 가는 것이기 때문에 야간부에 들어가야 한다고 했다. 당시는 특수 목적학교인 예고나 체육 고등학교에서는 일반 인문 학교로의 전학이 법적으로 허락이 되어있지 않았다.

앞뒤로 예쁜 여자애들이 앉아 있던 천국 같은 곳에서 남학교로 전학을 가니 그곳은 정말 살아있는 지옥 같았다. 깡패들만 모인 것 같았다. 술을 먹고 등교를 하는 학생들. 수업 시간에 각목을 들고 싸움을 하기도 하고, 싸움을 하다가 유리창을 부수기도 했다.

전학 후 첫 시험을 보니 전교 1등이었다. 그래도 나는 더 이상 학교를 다니기가 너무 싫어 아버지의 도움으로 'B학원 종합반'에 들어가 한 살 위의 형들과 같이 공부를 하게 되었다. 인생이 끝난 것만 같았다. 학교에 방이 붙은 그날이었다. 수진이가 울면서 전화를 했다.

"종호야, 이제 어떻게 해…." 수화기에서 들려오는 울먹이는 수진이의 숨소리에 또 마음에 없는 소리를 했다.

"나, 찾지 마… 앞으로 절대 전화도 하지 마."

속으로는 '꼭 해야돼. 매일 해야 돼' 라고 외치면서도 나는 그렇게 말했다. 보고 싶어도 보고 싶다는 얘기를 할 수가 없었다. 힘들어하는 나를 보다 못한 어머니가 수진이를 찾아가셨다. "우리 종호가 너 좋아하는 거 알지? 잊지 말고 전화해 줘"라고 부탁한 모양이었다.

여름 방학이 되어 수진이의 전화를 다시 받았다. 수영장에 같이 가자고 했다.

"우린 만나면 안돼. 너는 재단이사 딸이잖아. 재단이사 딸이 퇴학당한 놈이랑 어울리면 안 되잖아. 수영장엔 사람도 많은데 1500명이 오면 3000개의 눈 중에 학교 애들이 있을지 모르잖아. 그 눈들이 우리를 보는 거야…."

속으로는 수진이가 무지 보고 싶었고 수영장에도 가고 싶었지만 겉으로는 강한 척하는 내 모습이 싫었다. 그래도 그 아이를 위해야 한다는 생각에서 그렇게 말했다. 1980년 5월 5일. 우리가 고3이 되어 내 생일이 되면 다시 전화하자는 약속을 하며 수화기를 내려놓았다.

1979년 가을의 끝에서 외로운 겨울이 빨리 지나가기를 기다리고 있었다.

1980년. 대림동에서 큰 여인숙을 하는 호영이 형 집에서 거의 살다시피 하며 매일 친구들과 모였다. 재수생 학원을 다니고 있었다.

그렇게 기다리던 5월 5일.

전화는 오지 않았다.

하루 종일 오지 않는 전화를 기다리며 그동안 얼마나 전화를 걸어 목소리를 듣고 싶었는지, 보고 싶었는지 모른다. 얼마나 순수하게 수진이를 사랑했었는지 알게 되었다. 그렇지만 수진이는 나를 잊은 것 같았다.

6, 7월엔 공부도 하지 않고 학원에서도 술만 마셨다.

"형, 나 정말 보고싶어. 한 번만 내 앞에 데려다 주라…."

울면서 주정하는 모습이 안쓰러웠는지 호영이 형이 졸업한 학교를 찾아가 수진이를 만났다.

복도에서 기다리는 호영이 형. 같은 반이던 내 친구 K가 수진이를 불러 주었다.

"김호영 선배가 너 좀 오래."

"왜?"

"종호 문제래…."

쌀쌀하기도 하고 차가운 느낌의 수진이와 내가 그런 사이였다는 걸 내 친구 K는 절대로 믿을 수 없어 했다. 새침해 보이던 수진이의 얼굴이 굳어져서 K에게 물었다.

"왜?? 종호한테 무슨 일 생겼어?"

놀라며 걱정하는 수진이를 본 K는 수진이와 내가 정말 썸씽이 있었다는 걸 유일하게 아는 친구 놈이다. 지금까지도.

그 날 수진이는 복도에서 내 형편을 듣고 황급히 호영이 형을 따라 왔다. 호영이 형 집에까지 와서 나를 기다리고 있었다. 마침 그날 나는 술을 안 마시고 호영이 형에게 전화를 걸었다.

"너 왜 안 와?"

단 한마디를 하고 형은 전화를 끊었다. 떨리는 손으로 다시 전화를 걸었다.

"형… 형, 왔어? 온 거야?"

버스를 탔다. 버스로 40분 걸리는 길이 얼마나 멀게 느껴지는지….

하얀 세라복과 곤색 치마. 수진이는 혼자 앉아서 TV를 보고 있었다. 그 뒷모습만 봐도 눈물이 날 것 같았다. 울음을 참느라 안 그런 척 나는 또 화를 내고 말았다.

"야, 넌 TV가 눈에 들어오냐?"

"그럼 어떻게 할까……?"

멍하니 정적만 흘렀다.

"나가자."

통금 시간이 가까워 와서 그녀를 데려다 주러 나갔다. 유난히 밝은 밤. 총총히 떠있는 별을 따라 그녀의 집 앞까지 왔다.

초록색 군복 같은 바지에, 낡은 슬리퍼를 신고 나온 나. 헤어져 있던 시간만큼이나 초라해 보였다.

"왜 전화 안 했냐…… 얼마나 보고 싶었는지 알어? 정말 보고 싶었다…."

내 마음을 털어놓았다.

"…… 종호야… 왜 이렇게 약해졌어? 종호야… 더 이상 약해지지마. 그리고 열심히 공부해. 그리고 떳떳하게 만나야 해!"

수진이는 5월 5일 전화를 하고 싶었지만 엄마가 옆에서 말리셨다고 했다. 마음 잡고 공부 잘하고 있는데 전화해서 마음 흔들지 말고 대학 가서 만나라고 하시면서.

"종호야, 나는 너를 위해서 매일 기도했어."
수진이가 말했다.

매일 기도했다고? 나를 위해서? 내가 사랑하는 여자가 나를 위해서 매일 기도했다고?
눌러도 눌러도 새어나오는 울음을 애써 참으며 말했다.

"그래? 그럼… 나, 대학 간다."

3부

영리한 만남

1980년 겨울

15분이나 걸어 올라가야 하는 가파른 언덕.

서울대 음대 시험을 치고 합격자 명단을 확인하러 올라가는 길에 아는 형과 마주쳤다.

"형, 형 붙었어요?"

"아니."

"…형, 저는요?"

"네 이름도 없는 것 같던데?"

내 이름이 없다구? 없다구? 내 이름이? 순간, 펭귄 한 마리 없이 휑한 남극 벌판에 홀로 서 있는 듯했다. 이 길을 올라가야 하나, 말아야 하나? 왜 올라가야 하나? 터벅터벅 느릿~느릿~. 마음만큼 무거워진 발을 옮기는데 15분의 길이 150년을 걸어도 다 못 올라갈 것처럼 길게 느껴졌다.

수진이와 대학생이 되면 만나자는 약속을 한 후 다시 음악 레슨을 받기 시작했었다. 대학 입시를 몇 개월 남겨 두지 않고 서울대 음대를 준비한 것이다. 서울 지역의 대학교에 지원하려면 일정 커트라인의 예비고사 점수를 넘어야 했다.

그렇지만 예비고사에서 빵점을 받든, 만점을 받든 서울 지역권의 대학에 시험을 볼 수 있는 기회가 있었다. 전국 규모의 콩쿠르 대회 입상이 그것이었다.

그래서 뒤늦게나마 콩쿠르 대회 준비를 했고, 1980년 '단국대학교 주최 전국학생 음악경연대회'에서 성악부 대상을 받게 되었다.

입상 후 단국대학에서는 장학생으로 입학할 것을 제의해 왔지만 망설임 없이 제안을 거절했다. 00예고 퇴학생의 오점을 씻기 위해서라도 꼭 서울대에 합격하고 싶었기 때문이다. 그런 나를 보며 호영이 형은 "무슨 학교를 복수하듯이 가냐"고 했다. 그래도 나는 꼭 서울대생이 되고 싶었다. 아니 되어야만 했다.

그 추운 언덕길. 이런 저런 생각을 따라 올라가도 여전히 멀어 보이는 길. 그래도 끝까지 올라가서 내 눈으로 확인하고 싶었다. 이 길을 내려오면 얼마나 긴 방황이 또 시작될까…. 그 때 멀리 고등학교 2학년 때 같은 반이었던 여학생 둘이 내려오는 것이 보였다. 합격한 모양인지 싱글벙글, 재잘재잘대며 내려오던 친구들이 나를 보더니 쪼르르 뛰어왔다.

"종호야, 너 붙었어! 너 붙었어!"

뭐? 붙었다구? 150년은 걸어야 할 것 같던 그 길을 단숨에 뛰어 올라갔다.

박.종.호. 그 언덕, 사람들로 빽빽한 벽, 하얀 종이 위에 찬 바람을 맞으면서 당당하게 서 있는 내 이름이 보였다.

박.종.호. 내 이름이 보였다. 박 종 호. 박 종 호.

드디어… 복수했다…… 드디어 해냈다!!!!!

퇴학을 맞고 인생이 다 끝난 것 같던 게 불과 한 해 전이었다. 그러나 인생은 그렇게 쉽게 끝나는 것이 아니었다. 살아있다는 것, 그것은 숨을 쉰다는 것이 전부를 의미하지 않았다. 그래도 그 인생 중에 생기를 불어넣어 주는 생명 같은 한 마디는 꼭 사랑하는 사람들로부터 왔다. 어둡고 긴 터널 끝에서 만나는 빛과 같은 말 한 마디로 숨만 쉬던 인생도 언제고 다시 살 수 있음을 배웠다. 어느 날 문득 끊겨버린 것 같던 나의 길. 그러나 내가 가고자 했던 곳에 나는 결코 늦지 않게 도착해 있었다.

"팔 일 일 삼 일 공 이 이 박 종 홉 니 다."

"소리가 작다."

"팔 일 일 삼 일 공 이 이 박 종 홉 니 다."

"소리가 작다."

"팔 일 일 삼 일 공 이 이 박 종 홉 니 다."

신입생 환영회가 끝나면 2차로 중국 음식점에 모여 밤새도록 술을 마시며 남학생들끼리 선배들 앞에서 '신고식'을 갖는다.

'신고식' 만큼이나 잊을 수 없던 '서울대 음대 신입생 환영회 겸 댄스파티'. 빙글빙글 돌아가는 오색 조명 아래에서 홀로 뛰다 터질 듯한 고삐리의 가슴은 블루스 앞에서 녹아 내렸다.

'음대'에는 정말이지 예쁜 여학생들이 많았다. 그래도 나는

"내 여자가 있다"고 말했다. 내 여자라는 표현이 어색할지 모르지만 손 한번 잡아 보지 않고 뽀뽀 한번 해본 적 없는 수진이를 내 여자라고 생각하며 살고 있었다. 그리고 입버릇처럼 "나는 졸업하기 전에 결혼한다"고 말하고 다녔다. 물론 살은 자꾸 찌고 있었다. 그리고 20년 만에 길러 보는 머리는 어깨에 닿자 곱슬머리의 정체를 드러내고 있었다. "아니, 괴물같이 생긴 놈이 무슨 애인이야?" 친구들은 의아해 했지만 내 여자가 있다는 나의 믿음은 변함이 없었다. 너무 변함이 없어서 그녀에겐 신경을 아주 끄고 살 정도였다.

"야! 너, 오늘 수진이 생일인 거 알어?"

00예고 2학년 때 같은 반 친구 K가 물었다. 2학년 때 나는 두 번째 줄에 앉았는데, K는 첫째 줄에 앉았고 내 친구놈 짝이었다. 그리고 수진이와는 둘도 없는 친구였다. 지금 생각해보면 K는 나와 내 짝궁의 사이를 알고 있었던 것 같다.

나는 K의 말에 정신이 번쩍 들었다. 내 짝궁과의 재회의 약속을 잊고 전화 한 통 없이 지내고 있었다. 냉동실에 넣어 둔 오래된 떡을 꺼내 보듯 전화를 걸었다.

"너, 오늘 생일이지?"

"…응…."

"너 대학 가느라고 공부만 했는데 미팅도 해보고 친구들도 사귀어 보고 그래."

그 날 내가 그렇게 말한 걸로 기억한다.

왜 그렇게 마음에도 없는 쓸데없는 말을 했는지…. 그러고도 한참이 지나 1학년 여름 방학 전이 돼서야 광화문의 한 레스토랑에서 그녀를 다시 만났다.

그 말이 야속할 정도로 그녀는 변한 것 같은 느낌을 주었다. 수진이는 K대학교 불문과를 다녔는데, 더 이상 두 갈래로 땋은 머리가 잘 어울리던 소녀의 모습이 아니었다. 어느 새 성숙한 아가씨가 되어 버린 내 짝궁에게 남자친구가 생긴 것 같았다. 어색한 대화와 도무지 맛을 알 수 없는 식사를 하는 내내 마음이 답답했다. 일년 동안 연락 한번 안하다가 불쑥 만난 그녀에게 헤어지자는 말을 꺼내고 말았다.

"종호야, 너는 이태리에 가서 공부할 거고 나는 프랑스로 유학 갈 건데 유학 가서도 만날 수 있지 않을까?"

"뭘로 만나? 친구로 만나?"

한 번도 친구라고 생각해 본 적 없는 내 여자 수진이와 그 날 그렇게 헤어졌다.

이미 낯설어져 버린 그녀와 이별하고 돌아서는 길에서는 우연이라도 마주치는 일이 없을 줄은 몰랐다.

"종호야, 나는 너를 위해서 매일 기도했어."

내 삶의 다음 막을 열어 준 그 한 마디가 그녀의 가장 중요한 대사였는지,

그것으로 충분히 훌륭한 조연의 역할을 한 것인지….

그 후로 그녀는 내 삶의 무대에 등장하지 않았다.

그 상실감의 시간은 다음 막이 올라갈 시간으로 흐르고 있었다. 더 큰 어떤 만남이 준비되어 있는 다음 막이 기다리고 있었다.

대학교에서 가장 열심히 배웠던 것은

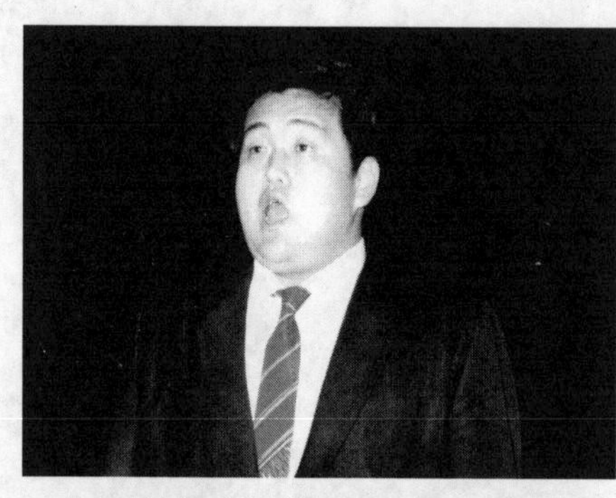

술과 담배였다. 담배는 하루 두 갑. 밤이고 낮이고 어울리던 술동무 중에 '소주병' 이라는 별명을 가진 선배가 있었다. 그 선배는 졸업 음악회 때 단골 룸싸롱에서 화환을 보내 줄 정도였으니 할 말 없지 뭐.

그래도 나는 실기 시험에 대한 욕심은 있었다. 그래서 그렇게 술을 마시면서도 시험기간이 다가오면 2주 동안은 술도 담배도 딱! 끊고 매일 사우나탕에 갔다. 그 동안 마시며 피워댔던 술이며 담배며 다 쏟아낸다는 기분으로 가래를 뱉어냈다. 폭포수 아래서 내공을 기르는 산야의 검객처럼 김 서린 사우나탕에서 나는 소리를 갈았다. 내가 하고 싶은 것이라면, 또 좋아하는 일이라면 제일 잘하고 싶은 욕심이 많은 나였다.

아직도 사람들의 입에 오르내리는 '조수미와 라이벌' 이라는 등의 얘기는 00예고에 다닐 때 생겼던 것 같다. '누가 누가 잘하나' 대회나 내가 00예고 2학년 때 특상을 받은 '월간음악 전국 콩쿠르' 등 어릴 때부터 수미는 나보다 한두 해 앞서 각종 대회에서 대상을 받고 다녔다. 그 땐 그냥 '열심'이 있는 애들은 여기서도 만나고 저기서도 만나는구나… 그런 정도로만 생각을 했었다. 그런데 서울 음대 입학 실기 수석에게 주는 '실기 장학금'을 조수미가 탔을 때는 다음엔 꼭 내가 이길 것이라는 다짐을 했다. 나와 다른 수준의 노래를 하는 것 같았던 조수미… 나는 그저 '타고난 목소리가 좋은 학생'이라면 수미는 고등학생 때도 '성악가'처럼 여겨졌다. 소름이 끼칠 정도로 노래를 잘하던 아이, 조수미. 나는 그 아이와 대학에도 동기로 들어가면서 술을 마시느라 내공을 키울 사이는 없었지만 일종의 비법을 터득했다. 맑은 목소리가 전부가 아니라는 생각을 하게 된 것이다.

1학년 1학기 기말 실기 시험. 그때 교수님들은 신입생들의 소리를 처음 듣게 되었다. 나는 이태리어로 된 가사를 구구단 2단의 경지가 될 때까지 외우고 또 외웠다. 그래서 입으로는 이태리어 가사가 나갔지만 머릿속에서는 한국말로 정리가 되었다. 그래서 표정과 연기까지 곁들일 수가 있었다. 그 때 부른 곡은 Monte Verdi가 작곡한 'Caldo Sangue'이었다.

"♬내 안에 ~~뜨거운 피가♬~ 흐~른다"

1학년 1학기 실기 성적은 A⁰였다. 성악과 전학년과 대학원생

포함해서 제일 높은 성적이었다. 그런데 장학금은 매 학년마다 마지막 학기 실기시험 점수로 결정한다고 한다. 그래서 1학년 2학기엔 A^-를 받았는데도 나보다 다른 선배가 점수가 좋아서 장학금을 놓치고 말았다. 2학년 1학기엔 전학년에서 제일로 높은 실기 점수 A^0를 또 받았다. 2학년 2학기에는 A^-. 내 점수가 제일 높았다. 그래서 3학년 1년 동안은 삼익악기에서 주는 '삼익 장학금' 을 받고 다닐 수 있었다. 지금까지도 서울대 후배들은 '전설' 이라는 별명으로 나를 기억한다고 새까만 후배들에게서 그런 소릴 들었다.

화성학 시험. 실기 시험은 잘 쳤건만 아무리 동공에 힘을 주어도 화성학 시간에 커닝하는 것은 여간 어려운 일이 아니었다. 저 음표가 '솔' 에 걸렸는지 '라' 에 걸렸는지… 음표가 올라갔다 내려갔다, 오선이 이리 꼬였다 저리 풀렸다 하는 것이 '사팔' 이 될 것만 같았다.

그럴 땐 친구의 시험지와 바꾸어 친구의 이름을 지우고 내 이

오페라팀과 함께

름을 적고 나온다.

"야, 너는 이거 다시 풀어!"

과학사 교양과목 시간. '아보가드로' 가 누구지? '플래밍' 이 뭐지? 원소라고는 '아톰' 밖에 모르는 내게 과학사는 체력장만큼이나 싫은 과목이었다. 그나마 밤새 고스톱을 치면서 틈틈이 준비했던 커닝 페이퍼가 있었으니 다행이지….

그러나 인생무상! 주관식이라던 시험이 33개의 객관식 문제로 출제되었다. '아톰' 은 '미래 소년 코난' 과 친척 뻘 된다는 것밖에 모르던 나는 적잖이 당황하고 말았다.

선배들은 내 속도 모르고 등 뒤에서 기웃기웃거린다.

"야, 좀 보여줘!"

그러면 나는 어깨 너머로 비아냥거린다.

"아~ 거, 공부들 좀 하지!?"

5분 만에 풀고 나가는 내 뒤통수로 형들의 비수가 날아왔다.

"야, 너 이새끼, 오늘 성악과 다 모인다!"

오페라팀과 함께

그리고 며칠 후 과학사 조교가 나를 찾았다. 점수를 주려고 해도 줄 수가 없다고, 어떻게 33문제 중에 하나도 맞는 게 없냐며 놀라워했다.

"1번이라도 쭈욱—쓰지?"

"쪽 팔리잖아요."

과학사 교수님 오피스 앞. 여름 방학을 며칠 앞두고 주루룩 주루룩 흘러내리는 땀을 훔쳐내며 교수님을 기다리고 있었다.

"아아아씨, 강아지, 송아지 불러 놓고 어디 간 거야?"

있는 욕은 다 해대고 있었다.

그 때 등 뒤에서 들려 오는 서늘한 인기척.

"학생이 박종혼가?"

"네, 제가 박종홉니다."

결국 어떻게든 점수 좀 줘보려고 부르신 교수님께 인사만 하고 돌아왔다. 과학사는 F였다. 질보다 양으로 승부하는 리포트는 먹지를 세 장씩 대서 썼다. 쉼표 하나, 마침표 하나까지도 베끼는 커닝으로 시험을 치르는 동안 여름 방학은 엎어지면 배꼽이 닿을 만큼 가까운 곳에서 기다리고 있었다.

아, 여름방학!

6박7일의 제주도 여행! 여명을 기다리는 검푸른 새벽. 성산 일출봉을 오르다 똥이 너무 마려워 길가에 주저앉아 볼일을 봤다.

아, 가뿐한 산행. 그리고 장엄한 일출….

그래, 2학기 때는 좀 착해져 보기도 할까? 공부를 좀 해볼까? 나답지 않은 생각을 하며 내려오는데, 아니, 웬 무식한 놈이 남의 묘비에다 고구마 같은 똥을 다섯 덩어리씩이나….

가까이 가서 보니 "아차! 내 똥이구나…."

허겁지겁 정신없이 내려왔다. 나는 어떻게 그 길을 내려왔는지 6박 7일을 뭘 하고 놀았는지 기억하지 못한다. 다만 제주도에 갈 때마다 그 고구마가 아직도 거기 있을까봐 무서울 뿐이다.

제주도 여행을 마치고 다시 2차 전국 여행을 떠났다. 전국을

누비며 노는 것이 무엇인지 가르쳐 줄 때가 왔다. 부산이면 부산, 대구면 대구! 전국 7개 도시가 '뚱스코 박'의 스텝 아래 있었다. 실컷 놀다 돈이 다 떨어지면 차비를 얻으려고 친구 집을 찾아간다. 돌아갈 차비가 생기면 또 나이트에 가서 놀고 시계까지 맡기고 또 차비를 다 쓰면 또 친구 집을 찾아가고. 차비가 생기면 또 나이트에 가고.

세월은 허겁지겁 제 갈 길을 가는데 나는 그렇게 허둥대며 놀 궁리만 하고 있었다.

"서울대에서 노래를 제일 잘하는 놈이 있는데, 생활은 개차반이더라."

그런 소문이 떠돌기 시작하자 나는 예수 잘 믿는 기독 학생들의 전도 대상 1호로 떠오르게 되었다. 아무리 봐도, 얼핏 봐도, 대충 봐도 어딘가 모르게 나사가 풀린 듯한 애들이 전도 책자를 들고 와서 따분한 이야기만 늘어놓는 게 정말이지 귀찮았다. 자기들은 착하고 옳은 일만 하는 것처럼 말하고 나만 죄인 취급하는 것이 싫었다.

"아아아아아씨, 내가 몰라서 안 믿냐? 못 들어봐서 안 믿냐? 그냥 안 믿어지니깐 못 믿는 건데…."

죄가 어떻고, 죽음이 어떻고, 나 때문에 누가 죽었다고? 우중충한 이야기만 하는 애들은 아침부터 식당에 모여 앉아 눈을 감은 채 슬픈 표정을 짓고 있었다. 묵상이 뭐지? 우리 아버지가 새벽마다 하는 명상이랑 비슷한 건가? 분위기 음산하게 왜들 저러나? 누가 또 죽었나?

식당에서 그 애들을 보면 나는 식판을 받아들고 그 옆으로 지나가며 꼭 노래를 불렀다.

"♬예수 물러가~ 예수 물러가~ ♪ 부처님 찬양합시다.
♬아미타바~ ♬아미타바~"

(cf. 예수님 찬양, 예수님 찬양, 예수님 찬양합시다. 할렐루야 할렐루야)

그런 걸 핍박이라고 하나? 사실 그렇게 믿는 애들을 못살게 굴 때도 교회는 다니고 있었다. '불교 신도협회 회장' 이시던 아버지도 내 음악 생활을 위해 가도 좋다고 하신 데다가 기막힌 성가대가 있는 곳을 알아내 교회에 나가고 있었다. 새내기 환영회를 한

다고 성가대 수련회에 맥주를 박스째로 준비해 오는 성가대! '아니, 이렇게 멋있는 교회도 다 있나?'

믿음은 없었지만 성가대 솔리스트로 아르바이트를 두 탕이나 뛰고 있었다. 밤새도록 성가대 친구들과 디스코 텍에서 놀다가 새벽엔 사우나에 가서 몸을 풀고 교회에 갔다. 잠에 취해서 교회에 도착하면 아침 연습은 이미 끝나 있었다. 예배가 시작되기 직전에 가운을 걸치고 올라가면 성가대 특송 순서가 되어도 알딸따알~ 한 것이 기분도 좋고… 뺨엔 붉은 미소를 띠고 노래를 불렀다.

"할렐루야…." 집사님, 권사님, 장로님, 목사님… 은혜를 받은 모양인지 서로 손을 잡아 주며 흐뭇해하신다. 거긴 나를 예뻐해 주시던 분이 많았다.

"종호야, 해가 똥~구녕에 떴네…." 하시며 술 냄새가 가시지 않은 내게 웃으며 다가오시던 권사님, 장로님, 집사님들. 성가대 장학금을 자기 돈으로 내어 주시고 "야유회 가게 돈 좀 주세요

~" 하면 술 사 먹을 줄 다 알면서도 웃으면서 속아주시던 분도 계셨다. 정말 사랑이 크신 분들이었다.

내가 과연 술 냄새 풍기면서 우리 교회에 나오는 애들이 있다면 그렇게 품어 줄 수 있을까…. 돌이켜보면 부끄러운 이야기지만 허물을 허물로 보지 않고 사랑으로 덮어주신 성가대 분들께 감사드린다.

그래도 그 땐 '무엇을 고쳐야 한다'는 생각을 하지 않고 계속 내 방식대로 살았다.

'나, 박종호는 죽지 않아!'

사람은 죽어도 박종호는 죽지 않을 거라 믿으며 살았다. 나는 그렇게 외상값 갚으라고 교문 앞에서 기다리던 룸싸롱 웨이터 외에는 무서울 것 없는 세상을 살고 있었다.

노는 세월 잘도 간다. 어느새 대학 4학년. 몸무게 초과로 군대도 면제받고 졸업과 이태리 유학을 준비하고 있었다. 400만원만 모으면 이태리로 떠날 수 있을 것 같았다. 한 달에 40만원씩, 열 달을 살고 그 다음부턴 아르바이트를 해서 살면 될 것 같았다. 이 돈을 어떻게 모으지? 하루에 세 탕을 뛸 수 있을까? 술을 좀 줄일까? 그런 고민을 하고 있을 때 친구가 물었다.

"종호야, 성가대 지휘하는 데 15만원이라는데, 너 갈래?"

"야, 이 놈아, 그럼 내가 가야지!"

다른 교회보다 3만원씩이나 더 준다는데…. 친구의 소개로 교회를 찾아갔다. 180cm 가 넘는 큰 키에, 뱀처럼 눈이 찢어진 전도사. 목소리도 완전히 약장수였다.

개척예배를 드리는 날. 300~400명의 손님들이 버글버글. '야~ 이 교회 좋구나. 다닐 만하구나.'

그런데 막상 주일이 되니 겨우 열 명밖에 오지 않았다. 성가대 5명과 전도사. 그리고 객석에는 전도사 부인, 처남, 이모, 이모부. 설교가 시작되자 안쓰럽다 못해 딱하기 짝이 없는 광경이 펼쳐졌다. 4명밖에 없는 객석 앞에서 마치 500명에게 설교하듯이 목에 핏대를 세우고 소리를 버럭버럭 질러대는 전도사. 그는 객석이 꽉 찬 것 같은 환상이 보인다고 했다. 그리고 곧 500명으로 불어날 거라고 했다.

신기하게도 교인들이 막 늘어나더니 한 달이 지나자 거의 500명이 되었다. 특별히 그 전도사는 '병 고치는 은사' 가 있었는데 하루는 장님이 눈을 떴다고 했다. "보입니까?" "보입니다." 사람들은 난리가 났다.

'미친 놈들…… 내가 그걸 믿냐? 짜고 하는 거 모를 줄 아냐?'

그래도 나는 쉽게 그 교회를 나오지 못했다. 아, 15만원이 뭐길래…….

하루는 전도사가 식사나 하자면서 집으로 나를 불렀다.

"박종호 선생님도 성령 세례 받았습니까?"

전도사가 밥을 먹다 말고 물었다.

'아아아씨, 성령 세례는 또 뭐야?' 식도가 턱! 막히는 것 같았다.

쫄리는 가슴. 안 받았다고 하면, 15만원이 날아갈 것 같고….

"받고 싶습니다."

순진한 나의 대답을 듣고 전도사는 나를 안방으로 데리고 갔다. 하얀 창호지 문에 큰 침대가 있는 방. 나를 침대 앞에다 세우고 말했다.

"박 선생님, 내 눈을 보십시오."

또 무슨 이상한 짓을 할지….

"예수 이름으로 명하노니 더러운 귀신아! 떠나갈지어다!"

전도사는 옆으로 찢어진 재수 없게 생긴 눈으로 나를 쳐다보며 소리를 질렀다. 나는 미안한 마음이 들어서였는지, 아니면 뒤에 침대가 있는 걸 알아서였는지 교회에서 본 것처럼 쉽게 뒤로 넘어졌다.

"자, 따라해 보십시오. 랄랄랄랄라~"

"……랄랄랄랄라."

전도사는 묘상하게 손을 놀려 내게 장풍을 쏘는 듯 나를 넘어뜨리려고 했다. 아무런 기도 느껴지지 않았지만 뒤에 침대가 있기에 드러누웠다.

"계속 따라해 보십시오. 랄랄랄랄라~"

"랄랄랄랄라."

별 것 아니군. 랄랄랄랄라. 전도사는 나를 남겨두고 방을 나갔다. 그리고 나는 35분 동안이나 혼자서 '랄랄랄랄라'를 했다.

"랄랄랄랄라 라라랄라라 라랄라랄라 나리라날라리 랄리라나랄라 루룰루룰루 라랄라랄라~"

그러다 '랄랄라'가 너무 쉬워서 "빠라바 띠베리…" 기억은 잘 안나지만 아무튼, 혀를 바꿔가면서 시간을 끌고 있었다. 그 와중에 침은 자꾸 얼굴로 내려오고 '아이구, 더러워라' 그런 생각을 하면서 시간을 때우고 있었다.

그렇게 정신 나간 알프스 소녀처럼 혼자 '랄랄라랄라'를 하다가 일어나서 문을 열었다.

문 앞에서 일렬로 서서 기다리는 성도들. 박수가 터졌다.

"박 선생님, 방언을 받으셨습니다."

방언은 또 뭐야? 얼떨떨한 기분에 박수를 쳐주니 기분이 좋아 되물었다.

"아, 제가 받았습니까?"

아무 것도 받은 것이 없는데 자꾸 받았다고 하니… 이상야릇한 기분으로 집으로 향했다.

아, 나도 미친 놈이 되어 가는 걸까….

담 넘기 좋은 밤이었다. 방언이 터지고 새벽에 집에 가니 주무시고 계셔야 할 어머니가 방에서 위경련으로 쓰러져 있었다.

'이 시간에 병원이 문을 열었을까?'

그런데 갑자기 교회에서 봤던 병 고치는 장면이 떠올랐다.

그래서 '그 동안 본 대로 한 번 해보자' 라는 생각을 갖게 되었다.

"엄마! 엄마, 내 눈을 봐!"

그리고 말했다.

"내가 나사렛 예수 그리스도의 이름으로 명하노니, 우리 엄마 배를 아프게 하는 더러운 귀신아! 떠나갈지어다!"

1초도 지나지 않아 엄마에게 물어 보았다.

"엄마, 어때?"

"안 아퍼…."

정말 안 아프다며, 무슨 무당 보듯 나를 보는 엄마.

"종호야, 뭐가 좀 보이디?"

그러나 그 순간만큼은 아무 소리도 들리지 않았고 아무 대답도 할 수 없었다.

"안 아프다구? 어… 이게 뭐야?

난 그렇게 지저분하게 살았는데, 나는 그냥 흉내만 냈을 뿐인데…

안 아프다구? 그럼 내 안에 '예수 그리스도의 영' 이 있다는 얘기야?

그 이름의 능력이 내 안에 있다는 거야?

어… 이게 뭐야?

단지 흉내만 냈는데….

예수 이름으로 명하노니… 예수 이름으로 명하노니…."

그 날의 충격은 나를 흔들어댔다.

예수 이름으로… 예수 이름으로… '예수 이름으로' 라는 말은 그 날 내 머릿속에서 떠나지 않았다.

초등학교 때부터 날나리 성가대로 교회에 다니기까지 16년 넘게 들어온 이름, 예수 그리스도… 정말로 그분이 나 때문에 죽었을까? 그리고 부활하신 걸까? 그리고 나도 그분을 믿으면 영원히 살 수 있는 걸까…?

진지한 물음들이 생기기 시작했다. 나를 대신하여 죽으셨다는 사랑… 그 사랑에 대해선 미처 알지 못했지만, 그 이름의 능력은 믿을 수 있었다. '그러면 믿기지 않는 성경, 바로 이스라엘의 역사가 진실이란 말인가?' 이 생각이 나를 떠나지 않기 시작한 것이다.

그리고 내게 큰 변화가 일어났다.

'사람은 다 죽는다. 그러나 박종호는 안 죽는다!' 라는 믿음이 '사람은 다 죽는다. 그러므로 나도 언젠가는 죽을 것이다' 로 바뀌게 된 것이다. 나 역시 시간이라는 테두리 안에 있었고 그 끝에서 나도 죽을 사람이었다. 그러나 그 끝에서부터 시작하는 '영원' 이라는 시간이 있음이 믿어지기 시작했다. 그래서 결심했다.

'100년도 못 살 인생…

영원한 삶에 투자하자!!!'

100년도 못 살 인생을 위해 미련한 투자를 하느니, 이 세상에서 가장 가치 있는 일을 하며 살고 싶었다. 예수를 전하는 전도자의 삶, 그것보다 귀한 일은 없어 보였다. 영원한 삶을 위해 투자하고 노래하고 싶었다.

100년도 못 살 인생.
예수를 전하는 것보다 더 값진 일은 없었다.
영리한 선택이 시작된 것이다.

'천지 창조?'

무조건 만들었다고 하면 내가 믿냐?
아기를 낳으면 처녀가 아니지!
나, 원, 참. 죽은 사람이 어떻게 살아나?

그렇게 코방귀를 뀌며 한 번도 귀담아 듣지 않던 성경의 기적들이 믿어지기 시작했다. 예수 그리스도는 윤리를 가르치러 온 것이 아니라 사랑을 가르치러 오셨다는 것을 알게 되었다. 그 이름의 능력과 사랑을 전해야 했다.

"어~ 형! 한 잔 해야죠?"
낮술을 권하는 후배들이 다가왔다. 그 놈들 역시 날라리 성가대였다.

"야, 너 교회 다니냐, 안 다니냐?"
"아~ 형! 다니잖아요. 형, 수업 없으면 술 한 잔…"
"너, 예수 믿냐, 안 믿냐?"
"아~ 형! 왜 그러세요?"
"예수 믿냐니깐??!!!! 지금 죽으면 천국 가냐니깐?!!!"

나는 가지고 온 성경책을 꺼냈다. 책가방보다 큰 강대상용 성경이었다. '술 마시고 군기 잡는다고 후배 팔에 올라가 앉은 게 엊그제인데 이젠 성경까지 가지고 와서 사람 놀리나' 싶은지 후배는 눈이 휘둥그레져서 나를 쳐다보았다.

복음을 전해야겠다는 뜨거운 마음에 성경책을 제비 뽑듯 펼치면 어느 한 구절이 돋보기로 보는 듯이 눈에 들어왔다. 그 구절을 읽어주자 후배는 충격을 받은 듯했다. 다른 곳을 펼쳤다. 그리고 또 눈으로 빨려 들어오는 구절을 읽어주었다. 그런 식으로 몇 군데를 더 읽어주고 나니 후배가 말했다.

"갑시다! 형!"

그렇게 전도한 날라리 성가대 후배들이 교회로 모여왔다. 각 교회에서 솔리스트로, 지휘자로 있던 녀석들이 무보수로 오겠다고 했다.

예수를 믿는다는 것은 참 신나는 일이었다. 후배들과 모여 살며 성경도 많이 읽고 기도도 많이 했다.

그러던 어느 날, 장마비가 내리는 늦여름이었다. 그 날따라 억수 같은 비가 밤새 오더니 새벽이 돼도 그치지 않았다.

"하나님… 비 좀 멈춰 주세요. 나, 새벽예배 가야 하니깐 비 좀 멈춰주세요."

2층에서 그렇게 기도를 드리고 내려와 현관문을 열고 발을 딛는 순간!!!!

비가 뚝! 그치는 것이었다!!!!

등줄기가 오싹! 발이 얼었다……. 소름끼치는 정적을 깨고 말했다.

"야!…… 멈췄어! 내가 멈췄어……."

"아~ 형! 뭔 얘기예요?"

"나 기도했거든. 비 그치게 해 달라고. 근데 정말 멈췄어…."

어벙벙해진 나를 보고 초를 치며 말하는 후배들.

"아~ 형! 그건 타이밍이 좋아서 그런 거죠."

"이이이씨. 내가 점쟁이냐? 맞춰서 기도하게?"

정말 우연의 일치였을까? 모르겠다. 그 때는 환상이라고 생각했지만 가끔 허깨비를 보기도 했다. 솔직히 신비적인 체험들을 싫어한 것도 아니었다. 그렇지만 정말 '병 고치는 은사'는 확실하게 있었다.

하루는 하교길에 다리를 접질렸다. 오른쪽 발목 복숭아뼈가 바닥에 닿는데 "우두둑" 소리가 내 귀에 들렸다. 발을 못 디딜 것 같았고 걸을 수도 없었다. 그래서 같이 전도하던 후배를 불렀다.

"야, 야, 야."

"형 왜 그래?"

"야, 발목이 부러진 것 같애."

그러자 후배가 오만 인상을 쓰는데… '어휴, 15분 되는 길을 어떻게 저 뚱보를 업고 내려가나?' 자막처럼 얼굴에 써 있는 것 같았다.

그 순간 자존심이 팍 상하는데 이런 음성이 들렸다.

"야, 너 병도 고치고 귀신도 쫓는 놈이 그거 하나 못 고치냐?"

그 소리에 발목을 끄집어 올려 화단에 올리고 손을 대고 기도했다.

"내가 나사렛 예수 그리스도의 이름으로 명하노니 부러진 다리야, 붙을지어다!!"

그러자 다시 '우두둑' 하는 소리가 들리면서 뼈가 붙는 것이었다. 그리고 뛰어서 내려왔다.

요즘은 어디를 낫게 해달라고 기도해도 잘 낫지 않지만 그때는 엄마의 위경련이 나았고, 염증이 생겼던 편도선이 나았다. 또 부러졌던 내 복숭아뼈가 한 마디의 기도로 붙었다. 뼈 붙는 소리와 느낌이 생생했다.

그 새벽 비가 그쳤던 것이 정말 하나님의 응답이었다고 해도 사람들은 믿으려 하지 않겠지만 내 몸 안에 있었던 변화들은 결코 부인할 수 없었다. 아무도 믿지 않아도 나는 믿을 수밖에 없는 일이었다.

"내 모든 뼈가 이르기를 여호와와 같은 자 누구리요 그는 가난한 자를 그보다 강한 자에게서 건지시고 가난하고 궁핍한 자를 노략하는 자에게서 건지시는 이라 하리로다" (시 35:10)
"의인은 고난이 많으나 여호와께서 그 모든 고난에서 건지시는도다 그 모든 뼈를 보호하심이여 그 중에 하나도 꺾이지 아니하도다" (시 34:19, 20)

“야, 종호가 미쳤대…”

“글쎄, 종호가 미쳤대.”

그런 소리를 들으면서도 당당히 전도를 했다. 성경의 말씀들이 진짜였기 때문에 부끄러울 것이 없었다. “하나님이 태초에 천지를 창조하시니라…” 창세기 1장 1절부터 시작되는 황당한 사랑 이야기. ‘그걸 어떻게 믿어? 왜 믿어?’ 하던 내가 이제 성경은 정직하다는 것을 믿는다. 세상은 변해도 말씀은 변하지 않는다는 것을 안다. 어디로부터 왔는지 모르는 믿음… 예전의 나처럼 복음을 믿지 않는 사람들을 대하며 생각했다.

‘세종대왕이 한글을 만들고, 이순신이 거북선을 만들었다는 우리 역사책은 쉽게 믿으면서, 창조주에 대해 유일하게 기록된 이스라엘의 역사책은 왜 믿지 않는 걸까…. 정말 믿음이라는 것

세종대왕이 성경을 읽어 성경대왕이 되고
이순신 장군이 하나님 나라를 위해 군대장관이 된다면…

은 어디로부터 오는 걸까…. 과연 우리는 한글과 거북선을 만드는 역사의 현장에서 보았기 때문에 역사를 믿는 걸까?'

좌향좌. 내 인생의 방향틀기…

1984년 겨울 주일 예배

그랜드 피아노 앞에 앉아 반주를 하다 고개를 드니 피아노 뚜껑 사이로 못 보던 여자들이 보였다.

나와 마주보는 자리에 앉아있던 세 명의 성가대 대원들. 0.5초도 안되는 짧은 순간! 그중 한 여인의 모습이 필름처럼 머릿속에 찍혔다. 사실, 왼쪽에 앉은 여자는 비스듬히 세워진 피아노 뚜껑에 가려 코와 턱 밖에 보이지 않았다. 그리고 오른쪽에 앉은 여자는 피아노 뚜껑 받침대가 얼굴 중앙을 가로지르고 있어 정확히 보이지 않았다. 가운데 앉아 있던 잘 생긴 여자…. 아, 피아노 뚜껑을 사이에 두고 다시 한 여인에게 반하게 된 것이다.

넌 내 거야!

사색하는 부부.
신혼여행은 구정 때에 설악산으로 갔다.
호텔에는 우리밖에 없었다… 놀거리도 없고,
그래서 방에서 사색(?)을 참 많이 했다.

"하나님, 저 여자 내 겁니다."

설교가 시작되었고, 나는 다음과 같은 메모를 주보에 적어 서울대 후배 녀석들에게 돌렸다.

"얘들아! 성가대 첫줄 왼쪽에서 세 번째 앉은 여자한테 나가면서 전부 '형수' 라고 그래라."

"아, 형수님. 오셨습니까?"

"형수님, 안녕하세요?"

"형수님, 반갑습니다. 그 동안 잘 지내셨지요?"

"형수님, 접니다."

낮고 굵은 우리 성악과 후배들의 인사는 예상보다 느끼했다. 능글능글한 '형수님' 소리에 이미 질려버린 듯한 여자. 막상 내

그녀는 자신의 운명의 자리에 그렇게 앉아 있었다.

차례가 돼서 악수를 할 때는 오히려 시치미를 뚝 떼고 상큼하게 인사했다.

"반갑습니다, 자매님."

그리고 속으로 다시 말했다.

'넌 내 거야.'

그리고 내 입가에 번지는 미소…. 그녀는 그 미소의 의미를 모른 채 돌아서고 있었다. 결혼이라는 것이 그렇게도 단번에 성사되는 것인지 모른 채로….

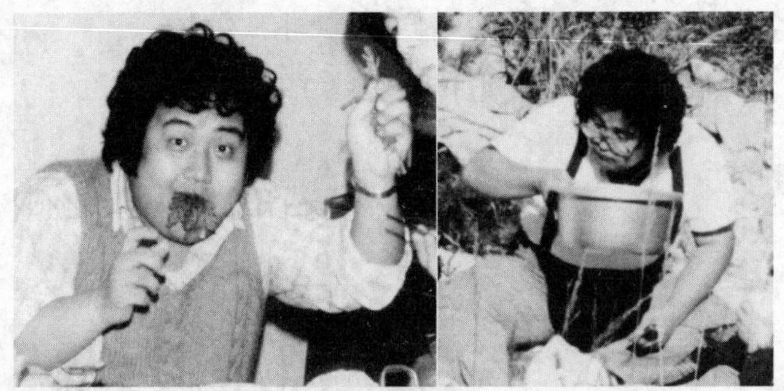

BEFORE(전) AFTER(후)

나에게도 살이 잠깐 빠졌던 아름다운 추억이 있다.

대학교 4학년 교생 실습. 네 살 터울의 예쁜 여고생들을 만나기 위해서 떨리는 손으로 제비를 뽑았지만… 아, 이런! 영양가 없는 일곱 살 차이의 예원중학교! 아무리 바꾸자고 해도 아무도 바꿔 주는 놈이 없었다.

교생 실습 첫 날. '드르르륵' 1학년 1반 교실 문을 여니 40명의 학생들이 일제히 책상 위에 올라가 뒤집어지며 우스워 죽겠다고 난리가 났다. 뭐 이렇게 뚱뚱한 사람이 우리 실습 담임이냐는 듯.

'너, 요놈들, 죽었다!!! 한 달 담임이 얼마나 징그러운 것인지 보여주마.'

"도시락 검사! 도시락 편다, 실시!!!"

푸욱 푸욱! 침 바른 숟가락으로 여학생들 밥을 찌르면 아이들이 기절을 한다.

"야, 남학생들! 실기실로 따라와!"

5명의 남학생들이 차렷 자세로 서 있다.

"이누무 시키들. 선생님 도시락 싸왔어, 안 싸왔어?… 안 싸왔어? 엎드려! 이 자식들아!"

아이큐가 120~130인 애들. 아니, 교생은 100도 안 되는데… 그 아이들의 생활 기록부만 봐도 은혜가 되는 것 같았다. 세상 물정을 하나도 모르는 천사 같은 아이들과 지낸 한 달. 교내 합창대회에서 우승도 하고, 정도 많이 들어 울면서 헤어져야 했다.

그리고 그 무렵 '내 평생에 이 많은 살이 빠지기는 할까' 하는 생각에 다이어트에 한 번 도전해 보기로 마음먹게 되었다. 아침은 커피. 점심은 메밀 국수. 저녁은 밥 반 공기. 그렇게 소식을 하면서도 두 대야의 땀을 받아내면서 하루에 줄넘기 3000개를 했다. 그랬더니 세 달만에 35킬로그램이 빠졌다.

그 덕분에 남들은 영화 같다고들 하지만 코미디 같기도 한 나의 결혼 이야기가 시작될 수 있었다.

"박 선생님, 성가대 '김선아 자매' 어때요?"

'서울대 대학원에 다니면서 평생 전도만 하고 살까' 고민하다가, 학교 앞에 있는 '고려 신학원'을 가기로 결정했다. 꿈 같던 이태리 유학은 접어두고, 입학 서류를 준비하고 있을 때, 교회 사모님께서 "사역을 하는 사람은 가정이 안정되어야 한다"며 결혼을 권하시며 물었다.

'김선아 자매면, 내가 찍은 자맨데….'

'하나님의 뜻이다' 싶어 3일 동안 금식을 하기로 했다. "하나님 그 자매와 결혼하게 해 주십시오." 그 소식을 알게 된 선아 자매는 급기야 교회까지 안 나오며 운명을 피해보려고 애를 쓰고 있었다.

간신히 달래서 다시 교회에 나오게 한 그녀를 금식이 끝나는 날 반포의 한 레스토랑에서 만났다. 아무 말 없이 땅만 바라보는 여자. 그리고 하늘만 쳐다보는 남자. 시선은 계속 엇갈린 채로 냉수 석 잔을 비워도 눈 한번 마주치지 못했다. 주문한 스테이크가 나오자 스테이크만 바라보는 여자와 남자….

숨쉬는 소리, 나이프를 짚는 소리, 스테이크를 써는 소리. 쟁반에 나이프가 닿는 소리….

이렇게 말이 없다간 내 맥박 소리도 다 들릴 것만 같았다. 그렇게 고요하면서도 소란한 순간에 그녀가 입을 열었다.

"금식 하신다면서요?"

"네, 김 선생님 때문에 했습니다…. 결.혼.합.시.다."

한 줄씩의 짧은 대화가 오가고 다시 아무 말이 없었다. 지나가는 누군가라도 웃어줘야 할 분위기였다. 쓰러지며 배꼽을 더듬거려 찾을 만큼 웃기는 대화였다. 그러나 아무도 웃지 않았다. 워낙 말이 없는 여자였다.

사실 그 말밖에 할 말이 없었다. 이 덩치에 금식까지 하고 내려와서 "나는 네가 좋은데, 너는 나를 어떻게 생각하니?" 라고 묻는 것도 유치하고, "우리 서로 마음에 든다면, 한 번 사귀어 보지 않을래?"라고 말하는 건 더 못하겠고….

그 후로 우리는 아무 말이 없었다. 레스토랑을 나와 집으로 향했다. 그녀에게서 아무런 대답도 듣지 못한 채로 아버지께 인사를 올리러 갔다. 그녀도 내게 마음이 있었는지 내 뒤를 따라오고 있었다.

몇 달 만에 가보는 집이었다. 이제 모든 것을 말해야 할 때가 온 것이다.

아, 아버지… 아버지께 뭐라고 말씀을 드려야 할지…. 예수를 믿는다고 하면 맞아 죽을 것 같고… 갑자기 나타나 결혼한다고 해도 뒤집어질 것 같고….

그녀와 함께 아버지 앞에 무릎을 꿇고 앉았다. 삭막한 분위기… 아버지는 내가 여자를 집으로 데리고 온 걸로 보아 사고라도 치고 온 줄 아시는 모양이었다.

"아버지… 저 아버지한테 고백할 게 있습니다…. 아버지, 미안합니다. 저 예수님 믿습니다."

아무도 말을 하지 않았다. 아니 숨조차 쉬지 않았다. 부채며, 난로며, 교자상이며 다 날아 올 줄 알았다. 그러나 아버지는 나를 노려보고만 계셨다.

"그리고 또 한 가지는… 사랑하는 여자가 생겼습니다. 저 결혼하고 싶습니다."

아버지는 숨을 고르시며 짧게 물었다. 혈기를 누르느라 애쓰시는 모습이 역력했다.

"또!!!???"

"답니다."

"………"

"………"

내가 예수님을 믿은 얘기에 대해서는 아예 말을 꺼내려고도 하지 않으셨다. 그리고 그녀를 훑어보셨다. 도대체 무슨 말씀을 하시려고 저러시나… 그녀의 얼굴을 찬찬히 뜯어보신 후 말을 건네셨다.

"그래, 거… 아가씨는 생년월일이 어떻게 되나?"

사주팔자 책을 뒤적거리시는 아버지. 자기가 거기 왜 앉아 있는지도 모르고 계속 무릎을 꿇고 있는 그녀. 나는 그 옆에서 웃음을 참다가 숨이 넘어갈 지경이었다.

책을 다 보신 아버지가 말씀하셨다.

"거, 사주팔자는 나쁘지 않구먼."

"결혼하는 걸로 하겠습니다."

"니 하고 싶은 대로 해라."

일방적으로 결혼하겠다고 결심한 후 그렇게 그녀와 아버지의 허락을 받아내는 고비는 넘겼다. 그래도 아직 장인어른의 승낙이 남아 있었다. 어떤 식으로 말을 꺼낼지 정하진 않았지만 또 단순하고 무식한 방법으로 접근할 것이라는 건 확실했다.

"애들아, 형이 한 가지 중대 발표가 있다."

기도원을 다녀오는 봉고차 안에서 후배 녀석들의 귀와 눈이 내게로 쏠렸다.

"형이 다음 주에 결혼한다."

눈치만 채고 있다가 말이 끝나기가 무섭게 일제히 '좋아라~' 뒤집어지는 녀석들. 봉고차 안에서는 축가를 부르고 경사가 났다. 그 때도 말없는 그녀는 창 밖만 멍하니 바라보고 있었다.

서울에 도착하자마자 소고기 열 근과 과일바구니를 사들고 바로 처갓집으로 갔다. 세 명이 마주 앉기에도 비좁은 방에서 장인은 담배만 뻑뻑 피우고 계셨다.

"어르신, 우리 결혼하게 해 주십시오."
"…우린 아직 준비가 안 됐네."

'준비가 안 됐다구? 그럼 'NO' 가 아니네. 'NO' 가 아니면 'YES' 잖아. 'No' 가 아니면 'YES' 지, 뭐.'
"그럼 허락해 주신 걸로 알겠습니다."
어이없는 눈으로 힐끔 돌아보는 어르신. 담배만 더 깊이 무셨다. 나는 때를 놓칠 새라 말을 이었다.
"어르신, 다음 주에 결혼합니다."
그래서 결국 2월 18일로 결혼 날짜를 잡고 처갓집을 나섰다.

연애도 하루 못 해 보고 올리는 결혼식. '우린 평생 연애하듯 살자' 하며, 2월 18일만 기다리고 있었다.

결혼을 앞두고 광명시 철산리 산동네로 집을 구하러 갔다. 보증금 50만원에, 월세 5만원으로는 산동네에서도 방을 구하기가 어려웠다. 아무리 돌아다녀도 마땅한 방은 찾을 수 없고 언 땅을 밟으며 따라오는 그녀에게 미안한 마음만 들었다.
그 다음 날도 옷을 두껍게 챙겨 입고 방을 구하러 나가는 내게 아버지가 말씀하셨다.
"니가 쓰던 방 있잖아!"

한 집안에 종교가 두 개 이상이면 안된다며 아버지는 우리를 받아주시는 대신 조건을 내거셨다.

첫째, 성경책을 집안에 들고 들어오지 말 것. 둘째, 집에서 기도하지 말 것.

그렇게나마 잘 곳이라도 마련하고 결혼식을 준비했다. 아버지는 분명히 허락을 안 하실 것 같고 '컵라면 놓고 피로연을 할까' 하는 생각도 했었다. 그리고 예물 없는 소박한 결혼식을 할까 하다가 그래도 집안에 관련된 일이라 아내는 손목 시계를, 나는 금반지 하나를 준비했다. 혼수라고 해도 8만원짜리 경대 하나가 전부였다. 침대도 고등학교 때 쓰던 걸 그냥 쓰기로 했다.

2월 18일. 신기하게도 '대학 4학년 때 결혼하겠다' 던 말이 이루어져서 졸업식을 일주일 앞두고 결혼식을 올리게 되었다. 물론 여자는 바뀌었지만… 청혼 후 일주일 만에 하는 결혼식…. 교회 식구들과 학교 친구들이 하나 둘 객석을 채우고 있었다. 그날의 강권은 '불교 신도협회 회장' 이신 아버지가 교회에 들어오느냐 마느냐 하는 것이었다. 신혼의 고소한 상상을 할 겨를도 없이 아버지를 전도해야겠다는 생각만 간절했다. 교회만 들어오시면 아버지도 하나님 은혜에 걸릴 것 같았다. 그래서 예수님을 믿을 것 같았다.

아들의 결혼식장. 아버지는 못 올 데를 왔다는 듯이 신랑 부모석에 불쾌한 얼굴로 앉아 계셨다. 빨리 결혼식이 끝나기만을 기다리고 계셨다.

드디어 주례사가 시작됐다. 주례자의 핏대가 올라가는 것이 결혼식인지 '부흥회' 인지 알 수 없는 상황이 펼쳐졌다.

"예수 안 믿으면 지옥 갑니다."

"아멘!!!"

"길면 80인 인생, 예수 안 믿으면 지옥 간다니깐요!"

"아멘!!!"

결혼식이 '불교 신도협회 회장 초청 전도집회' 로 바뀌고 있었다. 집요하게 아버지만 공격하는 목사님의 주례사. 그리고 목사님과 얼굴을 마주하고 "아멘! 아멘!!" 큰 소리로 외치는 나. 그 소리에 깜짝깜짝 놀라서 움찔움찔 하는 신부가 옆에 서 있었고 객석엔 '아이구, 저게 무슨 결혼식인가' 하는 하객들이 앉아 있었다.

이만저만 화가 난 게 아닌, 붉그락푸르락거리는 아버지의 얼굴. 예식이 끝나고 집으로 돌아오자 아버지가 말씀하셨다.

"목사, 그 새끼 결혼식만 아니면 올라가서 한 대 걷어차려고 했는데."

다행히 결혼식은 아무 사고(?) 없이 무사히 끝났다. 그러나 파란만장한 다음 무대와 우여곡절의 고개가 인생의 등성이마다 준비되어 있었다.

내가 남편이 되고 아버지가 되고 아들다운 아들이 되고…. 실패투성이의 소소한 일들을 먼지처럼 털어버리면서 가야할 길이 있었다. '예수 그리스도' 그 이름의 능력을 믿고 가야할, 좁지만 결코 무너지지 않는 길이 있었다.

결혼식과 졸업식 사진을 비슷한 시기에 찍게 된다.

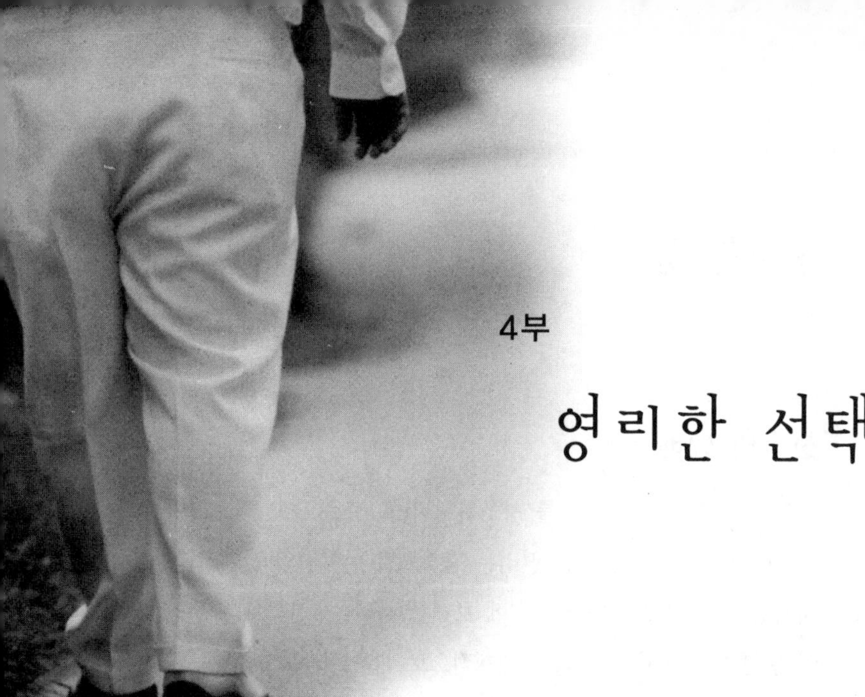

4부

영리한 선택

영리한 삶

천국의 예배

"태초에 하나님이 천지를 창조하시니라" 붓을 들고 히브리어로 창세기 1장 1절을 쓰는 떨리는 감격으로 신학원의 첫 수업을 시작했다. 그런데 나를 신학교에 보낸 목사님은 '신학보다 신앙이 우선' 이라며 내가 신학을 체계적으로 배우는 것에 대해 못마땅해 하셨다. 게다가 말씀 없이 신비적인 체험만 강조하는 교회가 이단이 아닌가 하는 불안한 마음이 들어 그 교회를 나와야겠다고 마음먹었다. 그래서 교회의 장학금을 받고 신학원에 다녔던 터라 교회를 옮기면서 신학원도 그만두게 된 것이다.

그 무렵 나는 성악과 조성환 선배를 통해 '예수 전도단' 을 알게 되었다. '맑은 사람' 조성환 선배. 성환 선배는 뭔가 모르게 우중충해 보이는 다른 예수 믿는 친구들과 달리 그저 맑고 순수한 느낌을 주는 사람이었다. "종호야, 하나님은 널 사랑하셔"라고 웃으며 말해 주던 성환 선배가 내게 '예수 전도단' 에 같이 나가지 않겠느냐고 말했다. 예수 전도단? 이단, 구단, 십팔단도 아닌 한 삼십팔단쯤 되어 보이던 예수 전도단(지금의 한국 YWAM). '아니, 멀쩡하게 생긴 사람이 왜 그런 데를 다니나' 의아해하다가 선배의 권유에 못 이겨 아내와 함께 그 예배에 참석해 보기로 했다.

성환 선배가 인도하는 찬양 예배. 나는 예수 전도단 화요모임에 들어선 그 순간을 잊지 못한다. 목조 건물을 휘돌아 나가던 찬양 소리. 그 찬양 소리는 마치 보이지 않는 바람 같기도 했고 파도 같기도 했다. 시원하면서도 따뜻한, 신선한 바람이 어지러운 머리를 씻고 지나가는 것도 같았고 따뜻한 물에 피곤한 발을 담근 것도 같았다. 누군가 내 피곤한 발을 무릎을 꿇고 앉아 씻겨주는 기분이 들었는지도 모르겠다. 아니, 오래 막혀 있던 깊은 숨을 쉬게 된 것도 같았다.

그것이 그 찬양 가운데 있었던 '성령의 생기'였는지도 모르겠다.

아내와 함께 예배를 드리기 위해 2층으로 올라갔다. 그곳에서 예배하는 젊은이들을 바라보는 순간, 하늘에서 그 모습을 내려보시는 하나님의 감격이 내 안에 밀려왔다. 틀에 짜여진 예배가 아닌, 찬양으로 시작해 찬양으로 끝나는 예배……. 여기 저기 무릎을 꿇고 앉아 울며 찬양하고 기도하는 젊은이들…….

그 모습을 바라보시던 하나님의 감격이 내 안에 있었다. 그래서 나는 복도에 무릎을 꿇고 앉아 몇 시간이고 울 수밖에 없었다. 무언가를 얻기 위해서가 아닌, 무언가를 드리기 위해서 십자가

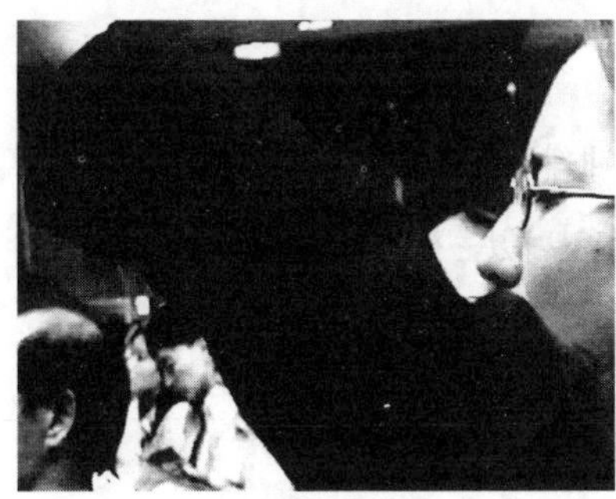

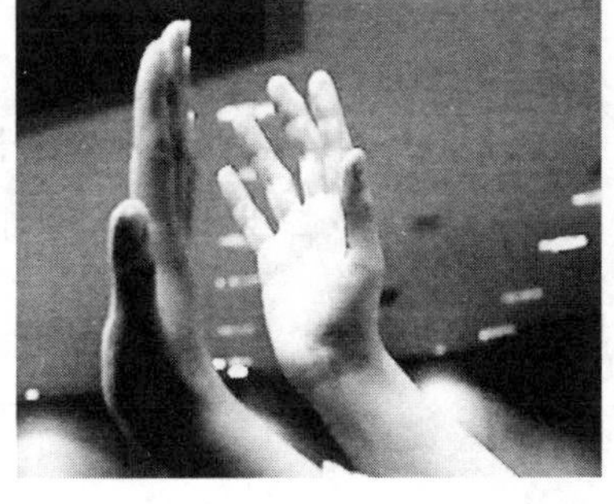

사역을 본격적으로 시작하기 전.

앞에 모인 사람들. 그 십자가 앞에 내려놓은 것은 그들 자신이었고 또 그들의 삶인 것 같았다.

그날은 마침 미국에서 온 예수 전도단 D.T.S. '선교 여행팀' 의 '보고 예배' 가 있었다. 흑인과 백인 그리고 황인이 어우러져 드리는 예배. 하늘로 향해 뻗은 손들과 한 하늘을 안은 듯한 팔. 한 품에 안긴 듯한 표정과 같은 색깔의 눈물들.

"내가 너희들의 찬양을 기뻐 받고 있노라. 너희들의 예배를 기뻐 받고 있노라."

하나님은 당신의 마음을 내게 듣게 하셨다.
아, 그것이 천국의 예배가 아니었는지.

[때가 차매] 1985년

갓난아이인 지현이를 배에 차고, 화요찬양모임에 빠지지 않고 나갔다. 하루는 성환 선배가 예배를 마친 후 나를 찾아왔다.

"종호야, 예수 전도단 3집 녹음을 하는데, 같이 하지 않을래?"

내가 서울대에서 어떻게 지냈는지 누구보다도 잘 아는 성환 선배가 그런 제의를 해왔다. 물론 예수님을 믿고 바뀌기는 했지만 천사 같은 그들에 비하면 나는 더러운 놈이었다. 그렇게 순수한 사람들과 예배를 드리는 것도 감사한데 같이 찬양 녹음을 하자니. 그 때의 파르르 떨리던 감동을 잊을 수 없다.

그 제의를 받아들이고 '때가 차매' 앨범 중 '만유의 주재'와 '오, 귀한 주 이름'을 부르기로 하고 녹음에 참여했다. 앨범 작업을 하는 중 쉬는 시간이었다. 당시, 예수 전도단 직장부 간사로 있던 인혁이 형이 '내가 만민 중에'를 녹음하고, 우리는 함께 찬송가를 부르며 쉬고 있었다. 부르다가 문득, '존 덴버'와 '플라시도 도밍고'의 듀엣이 생각났다. '이런 스타일의 노래를 하면 재밌지 않을까.' 그 때 옆에서 찬양을 듣고 있던 스태프들도 우리의 듀엣이 좋다고 했다. 그래서 그 후로 형과 나는 예수 전도단 스태프들의 결혼식이나 집회에 초청을 받아 특송을 하곤 했다. 그것이 알려지면서 여기 저기서 듀엣 앨범을 내는 게 어떻겠냐고 물었다. 그리고 아리조나에 사는 한 누나는 기도로 돕겠다며 100불을 헌금해 주었다. 그렇게 모인 돈이 80만원이 되었다. 그리고 "두 사람 다 예수 전도단의 소속이 아니냐"며 예수 전도단에서

300~400만원을 지원해 주었다. 그 전에는 누구의 앨범도 내준 적 없는 예수 전도단의 그런 도움으로 드디어 1986년 '박종호, 최인혁' 앨범이 나오게 되었다. '위로하여라' 등의 노래가 수록된 그 앨범은 당시 복음성가계의 센세이션을 일으키며 대학생들과 중·고등학생들에게 사랑받는 앨범이 되었다.

이렇게 해서 '박종호, 최인혁' 앨범은 예수 전도단에서 발표되었고 예수 전도단에서 은혜 받은 사람이기에 우리 둘은 예수 전도단에 앨범 전체 수익을 헌물하기로 했다. 후에 알았지만 인혁이 형은 그 앨범 수익으로 내가 유학가서 더 공부하기를 바랐다고 한다.

지금 생각해보면 그것이 찬양 사역의 시작이었던 것 같다. 그래도 그 때는 화요 모임에 빠지지 않고 나가면서 '찬양만 하고 살면 얼마나 좋을까…' 그런 소망을 품고 있었다.

극동방송 주최 제6회 복음성가 경연대회, 1987년

"최덕신이라고… 정말 노래 잘 만드는 형제가 있는데 그 형제가 만든 곡이…." 어느 교회에서 우연히 덕신 형제를 칭찬하는 소리를 듣게 되었다. 최덕신? 어, 내 친구 중에 최덕신이라고 있는데? 대학교 다닐 때 댄스파티 하면 '날개상' 타던 최덕신이 아닌가? 혹시나 해서 졸업 앨범을 뒤져 연락을 했다. 덕신이가 맞았다. 그는 이미 전문적 복음성가 사역을 시작하여 한국 구석구석의 교회들을 찾아다니면서 찬양을 하고 있었다. 같이 하자는 제

의가 있었지만 작은 봉고차에 스피커를 싣고 다니는 것이 영 아마추어 같아 보여서 거절했다.

몇 주가 지나고 덕신이가 집으로 찾아왔다.

우리 아버지의 불상이 놓여 있는 집에서 최근에 만든 노래라며 '내가 영으로' 를 불렀다.

"내가 영으로 경배하리니~ 내가 영으로 예배하리니~ 내가 영~으로 기도하리니~ 내가 영~으로 찬양하리니" 한두 단어의 가사만 바뀌고 4,5절까지 줄기차게 부르는 덕신. 그러나 내게는 별 감동이 없었다. 옛날 같으면 "야, 이걸 곡이라고 썼냐"라고 했을 것이다. 그래도 내가 예수를 믿고 변한 것이 있다면 내숭떠는 법을 배운 것이다. 그래서 상처는 줄 수 없고 애는 돌려보내야 되겠고 해서 덕신이에게 말했다. "야, 노래 좋다야~ 야, 은혜 받았어."

그날 덕신이는 내게 그 노래로 복음성가 경연대회를 나갈 것을 권했고 나를 대신하여 서류접수를 해주었다.

예선.

'왜 찬양하는데 등수를 매기나? 찬양하는데 1등이 어디 있나?' 그런 생각을 하며 들어간 예선 장소에는 중·고등학교 학생 아이들이 많이 와 있었다. 그 순수한 영혼들 앞에 나가기가 부끄러웠다. 찬양하는 마음만큼은 프로도 아마추어도 없는 것 같아 떨리는 마음으로 노래를 했다.

예선 통과. 그러나 문제는 본선을 사흘도 채 남겨 놓지 않고 덕신이가 편곡을 바꿔 버린 것이었다. "내가 영으로 경배하리니, 주님 내 찬송 들으시네. 온 맘 다해, 온 몸 다해, 나의 주님 찬송하리" 새로 만든 데스칸트 부분이 멋있긴 멋있었지만 이제껏 연습해 온 노래가 바뀌어서 가사는 잊어버리지 않을지 노래가 틀리진 않을지 걱정되었다.

본선. KBS악단의 편곡이 노래와 잘 맞지 않았다. 그래서 서울대 음대 기독 학생들과 같이 하겠다고 했더니 그것이 주최측에게는 건방지게 여겨졌던 모양이었다. 그래도 덕신이의 편곡과 서울음대 기독 챔버 오케스트라의 연주, 그리고 주찬양 선교단의 코러스는 연주도 고급스러웠지만 분위기도 확실히 달랐다.

본선이 열린 '세종문화회관'은 평소 서울시립합창단원으로 출근하고 연습하던 곳이라 부담은 없었지만 '가사를 까먹지 않을까' 걱정되기도 했다. 그래서 무대 저편 위를 바라보며 찬양을 불렀다. 다행히도 가사도 음도 틀리지 않고 끝까지 잘 불렀다. 하얀 양복, 커다란 가죽 십자가, 하늘을 바라보는 그 모습이 사람들에게 감동을 주었는지, 객석에서는 박수 소리가 터져 나왔다. 그러나 나는 인사도 하지 못하고 나가지고 않고 그 자리에 5~10초 동안 가만히 서 있었다. 내가 바라보던 그곳의 천장 조명이 따뜻한 기운으로 나를 감싸는 듯했고 하나님의 음성이 들리는 것 같았다.

"내가 너의 찬양을 기뻐 받고 있느니라."

처음 화요모임에 갔을 때 찬양을 기뻐 받으신다던 그 마음이 다시 전해졌다. 객석의 끊이지 않는 박수소리도 그 빛 속으로 아련히 빠져들어가는 것처럼 들렸다.

그리고 그날 대상을 받았다. 덕신이는 작곡상, 편곡상을 받아 상품으로 오디오 두 대를 타고 나는 아내와 함께 동남아시아로 여행을 가게 되었다.

그분이 보시며 미소지으시다

신혼여행 아닌 신혼여행을 그제서야 떠나면서도 그것이 복음성가 가수의 인생으로 접어든 것인 줄 몰랐다.

돈을 위해 음악을 하는 것이 짜증났다

예수님을 잘 섬기던 조성환 선배는 풀 스칼라십을 받고 미국 유학을 떠나면서 내게 자신이 가르치던 학생들을 보냈다. 학생들은 징그럽게 못했다. 그런데도 음악을 하겠다고 고집을 피우는 아이들을 돈 받고 가르치는 것이 싫었다. 서울시립합창단에서 주던 18만원의 돈으로 살 땐 지각비 5000원을 떼이지 않으려고 광화문 사거리에서 세종문화회관까지 보도 블록에 금이 가도록 뛰어간 적도 있었다. 월 수입이 20만원이 안 되는 '저임금 노동자'로 살던 때였다.

그나마 예수님을 믿고 달라진 나는 꼭 기도를 한 후에 레슨을 시작했다.

"하나님, 오늘 레슨할 때 소리 잘~ 내게 해주시옵소서. 아멘~."

그래도 레슨을 시작하면 5분도 지나지 않아 주먹이 날아갔다. 야구 방망이 같이 생긴 막대기를 휘두르며 가르쳤다. 그런데 생각해 보니 이상한 노릇이었다. '내가 정신병자야, 뭐야? 기도하면서 잘하자고 해놓고서는 조금 지나서 애들을 후려 패고 내가 성악 선생도 아니고, 이게 뭐야?' 아내는 "돈 내고 배우겠다는 학생을 왜 때리냐"며 말리다 지쳐 버렸고 나는 점점 더 화를 내며 아이들을 가르쳤다.

"내가 너를 가르치느니 너 대신 시험장에서 노래를 부르겠다.

이 징그럽게 못하는… 으….”

하고 싶은 일은 죽어도 해야 하는 내가 그렇게 힘들어하는 것을 보며 안쓰럽게 여긴 아내가 말했다.

“하고 싶은 거 하고 살아요. 그게 행복하지 않겠어요?”

아내의 그 한 마디에 나는 레슨을 그만두고 솔로 앨범을 준비하게 되었다. 그 한 마디의 격려가 지금 내 사역의 시작에 용기를 주었다. 아직도 그 말은 내게 평생 후원이 되어 지금도 나는 내가 하고 싶은 일을 하며 행복하게 살고 있다. ‘끝없이 펼쳐진 기름진 초원’ 보다는 ‘높고 낮은 골짜기로 이루어진 산’ 같은 인생. 내가 소망하는 일은 그 산을 굽이굽이 돌아 흘러내리는 시냇물 소리처럼 내 귀를 씻고 또 마음을 깨끗하게 해준다. 그 맑은 물에 내 마른 목을 축이고 다시 걷게 해준다.

행복한 것 하면서 살아요.

〈레슨 에피소드〉

#1. 레슨실. 오후

정말 징그러운 놈이 나타났다. 공부를 워낙 잘해서 인문계로 서울대에 갈 실력이 되는데도 굳이 노래를 하겠다던 K학생이었다. 지금은 LA의 USC에서 성악 박사를 끝내가고 있다.

종호: 야, 너 하지 마라. 너, 공부 잘하니깐 그냥 공부해서 서울대 가라.
학생: 아닙니다, 선생님. 노래하겠습니다.

결국은 1년 반 동안 집안 형편이 어려운 그 학생을 레슨비를 안 받고 가르쳐 보기로 했다.

#2. 1987년 여름.

종호는 학생에게 서울대 면접 입시곡을 알아오라고 보냈다.

학생: 선생님, Frülings Glaube입니다.
종호: 그러냐? 또 뭐디?
학생: 이태리 가곡은 OOO입니다.
종호: 어, 그래. 너, 전에 그 곡 공부했지?

예수전도단 시절,
고형원, 최인혁과 함께
교회를 다니며 찬양활동을 했었다.

#3. 1987년 겨울. 서울대 음대 면접 고사장.

실기 시험 이틀 전.

박종호를 예뻐하시던 이인영 교수님이 면접관으로 계셨다.

교수: 아~거 학생은 거, 누구한테 배웠나?

학생: 네, 저는 박종호 선생님한테서 배웠습니다.

교수: 아~ 종호 제자가? 아 그래, 노래는 뭐하나?

학생: 이탈리아 가곡으로는 OOO를 합니다.

교수: 아~그래.

학생: 그리고 독일 가곡으로는 슈베르트의 Frülings Glaube(봄의 신앙)를 합니다.

교수: ~?! 아야, 이놈아! Frülings Glaube (봄의 신앙)는 거, 서울대 지정곡이 아니다. Frülings Straum(봄의 꿈)이다! 큰일났다. 니, 종호한테 전화해서 빨리 곡 바꿔서 준비하그라.

p.s. 실기 시험은 다음날이었다.

#4. 공중 전화 박스. 면접일 오후.

공포에 질린 학생이 종호에게 전화를 하고 있다.

학생: 선생님…

종호: 어~잘 했냐? 면접.

학생: 선생님, 큰일 났어요.

종호: 왜?

학생: 'Frülings Glaube'가 아니구요.

종호: 뭐!????

학생: 'Frülings Straum'이에요.

종호: 빨리 튀어 들어와!

#5. 아직도 레슨실에 자욱한 먼지. 넝마가 된 학생.

종호는 억울했다. 레슨비도 못 받고 1년 반 동안 가르친 학생. 그나마 간신히 붙게끔 만들어놨는데. 아, 이게 안되네? 그런데 딱! 마음에 믿음이 왔다.

'아, 하나님이 얘를 붙이겠구나. 붙이려고 노래 제목이 뭔지 물어봤지, 안 물어 봤더라면 입시 날 들어가서 다른 노래를 불렀겠지. 그럼 떨어졌겠지.'

마음이 급해진 종호. 밤새 가사를 외우게 했다. 다행히도 그 곡은 예전에 레슨 한 적이 있는 곡이었다. 그렇지만 1절 가사와 2절 가사가 먹다 버린 짬뽕 국물과 단무지처럼 막 섞여 있었다.

#6. 일요일. 사무실.

다드림 선교단, 예수 전도단 스태프들, 부산에 아는 사람들, 교회 사람들. 전국 선교단들에게 팩스를 보내고 전화를 하며 기도 요청을 하는 종호.

"지금 내가 가르치는 학생 중에서 이런 사건이 벌어졌습니다. 이건 제 실순데 도와주십시오. 내일 가사 틀리지 않고 부를 수 있도록 기도해 주십시오."

#7. 저녁. 레슨실.

만신창이가 된 학생 클로즈 업. 때려도 때려도 학생은 가사를 외우지 못했지만 그래도 종호의 마음엔 확신이 왔다.

종호: 야, 내일 가서 손바닥에 가사 쓰고 보고 불러. 너, 가사 본다고

이대 강당.
조호선, 조호영과 함께

뭐라고 그러면 무조건 그래. "저, 박종호 선생님 제잡니다." 그러면 봐도 돼(왜냐하면 시험장 감독하는 조교가 나를 아는 후배들일 테니깐).

#8. 면접 날. 오전.

"기도해라, 난 금식을 할 테니깐"이라고 말하며 학생을 보냈던 종호.

보통 땐 금식을 해도 배가 별로 안 고프다. 그런데 그 날은 정오가 되기 전에 배가 훑어 내리고 경련이 일어나는 듯 온몸이 휘~ 젖히고 난리가 났다. '아, 이놈이 노래하는가 보구나.' 그리고 나서 15분이 지나자 다시 괜찮아 지는 배.

전화벨이 울린다.
학생: 선생님, 잘 쳤습니다.
종호: 가사 틀렸냐?
학생: 아니오.
종호: 빨리 들어와라.

#9. 서울대 음대. 실기 고사장.

– 심사 위원들은 커튼으로 가려져 있고 학생들은 조교의 감독 하에

서 노래 부르게 되어 있다.

– 대기실.

아무리 해도 가사가 생각이 안 나는 학생.

학생: 안녕하세요? 저, 박종호 선생님 제잡니다.

조교: 어, 그래. 종호 형 제자니? 그래, 잘 해라.

– 실기 고사장.

아무도 없다. 따라 들어오는 조교. 손에다 가사를 쓴 건지, 어디 쪽지에다 메모한 건지, 아니면 은혜로 외워서 부르는 건지 …. 아무튼 제대로 부르는 학생.

그래서 결국 그 학생은 88학번으로 합격을 하였고 창피하지만 이것은 그 학생과 나의 간증 거리다.

하나님은 믿음으로 그 학생의 합격을 약속하셨고 곧 입증하셨다.

전국 방방곡곡을 하나님 찬양하러 다니던 시절, 어디든 함께 했던 아내는 가장 큰 힘이었습니다.

1집 : 살아 계신 하나님

1988년 올림픽 준비로 서울이 떠들썩한 때에 녹음실에 파묻혀 앨범 제작에만 몰두했다. 최고의 것을 만들자는 단순한 생각에 가진 돈의 10배가 넘는 예산을 세우고 일을 시작하였다. 욕심을 부려 당시 한국에서 가장 녹음을 많이 하는 오케스트라를 동원했다. 그리고 최선이라 말해도 후회 없기를 바라며 열심히 했다. 다행히 모자라는 제작비는 '돈암 녹음실' 에서 음반 발매 후에 갚을 수 있도록 배려를 해주었다. 그리고 음반은 기대했던 것보다 더 빨리 좋은 반응을 얻어 빚진 돈도 곧 갚을 수 있었다.

'살아계신 하나님' 으로 박종호 찬양 사역의 신고식을 하고 그 해 가을 이화여자대학교 강당에서 첫 콘서트를 열었다. 공연은 저녁 7시. 오후 2~3시쯤 되자 학생들이 기웃기웃 하는 것이 보였다. 그러더니 6시부터 서기 시작한 줄은 강당에서 학교 정문까지 1km나 되는 길을 가득 메웠다. 데모를 하는 줄 알고 왔다가 어리둥절해서 되돌아가는 전경들. 리허설이 끝나고 출입문을 열자 4000석이 5분만에 꽉 찼고 자리가 모자라 2층 난간에도 여기 저기 사람들이 걸터앉아 있었다.

그렇게 많이 올 줄은 몰랐다. '저 사람들… 나를 보러 왔을까… 내 노래를 들으러 왔을까… 아니, 내가 찬양하는 하나님이 특별해서 온 걸지도 몰라. 나의 찬양이 특별해서 온 걸 거야… 아니야, 그냥 하나님을 만나러 온 거야. 내가 아닌 하나님… 하나님을 만나러 온 거야.'

나를 떨리게 하는 것은 무대와 조명이 아니라 수만 개의 눈동자들이었다. 사람들에게 억지로 영향력을 주려고 하는 것은 내게 맞지 않는 일이다. 그렇지만 그 눈동자들과 함께 나도 하나님만 바라보며 찬양하는 것은 쉬운 일이 아니었다. 하나님 앞에서만 있듯이 자연스러운 내 모습을 보여주고 준비된 것을 마음껏 나누길 바라며 노래가 바뀔 때마다 거울을 보듯 마음을 돌아보았다.

"잘했어. 종호야…
너의 찬양을 듣고 있으면, 나는 너무도 행복해지는구나."

나의 길을 찾아 빈 손으로 뛰어온 내 안에 하나님께 드릴 것이 또 하나 남아 있었다. 드릴 것 없는 내게 남아 있던 나의 전부, 그것은 내 목소리였다. 하나님이 내 안에 두신 하나님의 목소리. 그 목소리를 다시 하나님께 드리는 것이 나의 삶이었다. 하나님을 노래하는 것이 나의 전부였다.

공연은 대단원의 막을 내렸다.

어머니는 1층에 앉아 계셨다. 예수님을 모른 채로 1시간이고, 2시간이고 아들만 바라보고 있었다. 예수님을 믿지 않으면 내 마음이 가장 아픈 사람, 어머니를 위해 무대 위에서 기도 부탁을 했다.

"여러분, 오늘 사실은 이 자리에 사랑하는 어머님이 와 있습니다. 그런데 예수님을 안 믿으십니다. 하지만 자식을 사랑하기에 와 있는데 우리 어머님이 예수님을 믿었으면 좋겠습니다. 기도해 주세요.”

그 어딘가에 앉아 계셨을 그 날의 주인공의 이름으로 어머니를 축복하며 무대를 내려왔다. 하나님께 드리기 위한 또 다른 공연이 시작되었음을 기억하며….

어떡하다가 이런 길로?

포기 없는 선택.

“종호야, 저 수미가 부럽지 않니?”

‘카라얀’이 지휘하던 베를린 필 오케스트라와 협연을 하는 ‘조수미’가 TV에 나온 것을 보다 어머니께서 고개를 돌리며 물어보셨다. 내가 그렇게 하고 싶어하던 일, 이 세상에서 가장 가치 있는 일을 그제서야 선택하여 뛰어가던 내게, 내 인생의 가장 큰 사람, 어머니께서 물어보셨다. 당신의 아들이 포기한 무언가가 아련히 다시 떠오르기라도 한 듯.

“엄마, 내가 하는 음악이랑 쟤가 하는 음악은 종류가 다른 거야. 나는 영혼을 터치하는 음악을 하는 거야. 나는 사람의 감수성을 자극하는 게 아니라

창조주 하나님을 노래하는 거야."

이 일을 처음 시작할 때부터 지금까지 후회란 없었다. 나 역시, 실패자처럼 여겨졌던 때가 없었던 건 아니지만 후회란 없었다. 한때는 패자들만 하나님을 믿는 것 같은 느낌이 나서 화가 날 때도 많았다. 사역 중 아픔이 없었던 것도 아니다. 녹음기에 카세트 반주 테이프를 꽂아 놓고 노래를 부르는 것은 사실, 서럽지도 않았다. 그러나 교회는 오히려 세상에서 성공한 사람을 찾았고, CCM 가수를 무명 연예인처럼 대하기도 했다. 그나마 내가 '서울대 출신' 이라는 것이 좋은 인상을 주는 것 같았지만, 이런 질문을 하는 사람들도 있었다.

"박종호 씨는 서울대에서도 노래를 잘 부르셨다는데
아니, 어. 떡. 하. 다. 가. 이. 런. 길. 로 접어들게 되셨습니까?"

그런 질문을 받으면 화가 난다. 뭔가 대단하게 아픈 사연을 숨기고 있는 사람을 대하듯 나를 대하는 것보다 내가 선택한 것의 가치를 모르는 것에 더 화가 난다.

서울대를 졸업하고, 학교 바로 앞에 있던 신학원을 다니면서 평생 전도만 하며 살까 고민하던 시절에도 그랬다. 세계 대가가 되기를 꿈꾸지 않았던 것은 아니다. 그러나 예수님을 모르는 세계 대가는 아무런 의미가 없었다. 세계 대가가 되어 예수님을 전할 수도 있었겠지만 내 소리는 나의 것이 아니라 하나님의 것이라는 것을 미처 깨닫지 못한 때였다. 그래서 끝없이 시작만 있는 무전여행을 떠나는 것 같았던 시절에 음악조차 짐으로 여겨졌는지도 모르겠다.

빈손으로 갔다. 하나님께 "이것만은 버릴 수 없다"며 무언가를 손목에 엮어 갈 수도 있었겠지만… 시간을 들여 조그만 무언가를 성의껏 준비해 갈 수도 있었겠지만… 내 것이라고 여기는 것은 나 자신밖에 없다고 생각했기 때문인지도 모르겠다.

고려신학원. 거기는 나보다 갑절 이상의 인생을 살아오신 분들이 대부분이었다. 하나님께로 가는 좁은 길을 돌아 돌아 오신 분들, 혹은 소돔성처럼 무너지는 인생을 뒤로 하고 피할 곳을 찾아오신 분들. 그림자처럼 따라오던 하나님과의 약속으로부터 끝내 도망치지 못해서 온 사람도 있었다. 처음 만나 자신을 소개하며 서로 위로하며 격려하던 그 날, 나 스스로는 대단한 무언가를 포기했다고 생각했기 때문인지 '실패자' 혹은 '낙오자'라는 명함을 내미는 사람들이 싫었다.

아니, 포기란 없었다. 포기란 말은 어울리지 않는다. 돈이나 명예쯤은 '하나님'과는 비교도 할 수 없는 말이므로.

눈에 보이는 무수한 길 중에서 헤맬 때도 많았다. 많은 사람들이 앞다투어 가려하는 길이 내 앞에도 있었다. 그러나 내가 찾기를 원하는 건 길이 아니라 영원한 삶을 시작하기 전에 반드시 만나야 할 그분이었다. 안개로 덮인 들을 지나며 산을 넘으며 스스로의 길을 잃어버렸다고 생각하면서도 끊임없이 걸어 온 시간. 어느 날 안개가 걷히기 시작할 때 희미하게 보이는 길. 뒤를 돌아보면 한 번도 잃어버린 적 없이 나는 나의 길을 줄곧 걷고 있었음을 알게 될 것이다. 그리고 나의 길은 '예수' 임을 자랑할 것이다.

나의 선택에 포기란 없었다. 하나님, 그분이 전부였으므로. 그분보다 귀한 것은 이 땅에 없으므로.

가장 좋은 것으로…

전문적으로 하나님을 찬양합시다!

1. 최고에 길들여짐

어릴 적 구슬을 사러 청계천 도매 시장에 가면 엄마는 무조건 처음부터 제일 좋은 것만 보셨다.

"아저씨, 이거 얼마예요?"

"10,000원이에요."

"3,000원!"

엄마는 깎는 데는 고수였다. 터무니없는 가격을 툭 던지고 돌

나는 사람들을 영향력의 이름으로
조종하는 것이 아닌
진실함으로 다가가고 싶다.

아서면 쫓아오는 것은 오히려 가게 주인 쪽이었다. 가게 주인은 선심을 쓰는 듯 엄마를 불렀다.

"8,000원!"

"3,000원!"

"이래도 안 남어. 7,500원!"

"이봐, 안 남는 장사가 어딨어? 4,500원!"

그리하여 결국 물건은 5,000원에 넘어온다.

그런 엄마에게 길들여진 나 역시 가게에 들어가면 제일 비싼 물건을 먼저 본다. 브랜드 때문에 거품이 들어간 가격은 나도 좋아하지 않는다. 그래도 더 비싼 물건은 그만큼 정성이 더 들어간 게 사실이다. '싼 게 비지떡' 이란 말처럼 30달러를 주고 산 물건은 1년을 못 가도 300달러를 주고 산 물건은 10년을 넘게 쓰기도 했다.

그렇게 가장 좋은 것을 사는 것에 익숙해진 나는 찬양 사역이나 공연 문화에 있어서도 최고의 것을 고집하게 되었다. 물건 하나를 사도 편리를 위해서 최선의 것을 찾으면서 하나님을 표현하는 데 차선을 택한다는 것은 어불성설인 것 같았다. "교회 문화를 세상 문화와 견줄 만한 것으로 만들자"는 것이 아니다. 세상 문화와 비슷하다면 차라리 세상 문화를 즐기는 게 더 낫지 않을까…. 세상의 그 어느 것과도 비교하지 못할 정도의 최고의 문화를 만들고 싶다. 뒷북치는 문화가 아닌 리딩하는 문화를 만들고 싶다. 음악이 하나님을 찬양하는 것에서부터 시작되었듯이 문화란 하나님이 없이는 존재할 수 없는 것이다. 그런데 언제부턴가 문화는 하나님을 소외시키고 그 껍질만 남아 발전을 이루고 있다. 그러나 창조주의 눈에 심히 좋았던 '걸작품' 들이 죄로 인하여 더러워지고 말았다. 사람도 문화도 하나님이 만드신 그 본래의 형상을 회복해야 한다. 하나님 형상의 회복, 그것이 선교이다.

2. 형태는 프로! 본질은 아마추어!

잃어버린 하나님의 형상을 되찾는 것, 그것이 내가 하나님을 꿈꾸며 최고의 것을 만들고자 하는 이유이다. 그래서 나는 상대적인 최고성이 아닌, 절대적인 최고성을 추구하려고 노력하고 있다. 최고란 대가를 지불하지 않은 사람에게 벼락같이 떨어지는 것이 아니다. 최선을 다하지 않으면서 최고를 바랄 수 없다. 그러기에 우리는 자기 삶에 더 투자하고 공부해야 한다. 우리 삶의 본질은 하나님을 사랑하는 것이고 그 사랑을 전하는 것이다. 그 사랑의 본질을 어떤 포장으로도 소화해 낼 수 있어야 한다. 대중이 까만 것을 원하면 까만 것으로, 파란 걸 원하면 파란 것으로, 만약 이 세상에 없는 색깔을 원한다면 만들어서라도 주는 그런 자세가 필요하다. 하다가 안되면 대충 하는 게 아니라 끝까지 최선을 다해야 한다.

사역의 형태는 철저하게 프로페셔널 해야 한다. 돈을 많이 받으라는 게 아니라 철저하게 약속을 지키는 사람이 되어야 한다는 것이다. 왜냐하면 사역의 기초는 관계이기 때문이다. 물론 비즈니스적인 부분도 중요하다. 사역이 처음 의도한 대로 잘되려면 재정적인 뒷받침이 필요하다. 돈에 대해 깨끗하고 정직해야 한다. 그것이 사역을 오래하는 비결인 것 같다. 영성은 개인의 몫이다.

그러나 하나님 앞에서는 철저히 '아마추어리즘' 으로 살아야 한다. 순수하고 순전한 마음. 하나님이 도와주시지 않으면 아무것도 못한다는 자세와 하나님을 사랑하는 마음이 가장 중요하다. 그렇기에 음악적인 수준보다 더 중요한 것은 그 메시지다. 메시지는 삶으로 강력하게 전달할 수 있어야 한다. 미국의 찬양 사역자 '키이스 그린' 은 이렇게 말했다.

The only music minister to whom the Lord will say. "Well done, Thy good and faithful servant" is the one whose life proves what their lyrics are saying, and to whom music is the least part of their lives. Glorifying the only worthy One has to be a minister's most important goal ! - Keith Green

예수님이 "잘하였다 착하고 충성된 종아!"라고 칭찬하시는 음악 사역자는 그 삶으로 노래의 가사와 메시지를 증거하는 사람이다. 음악은 오히려 인생의 가장 작은 부분이어야 하고, 오직 하나님을 영화롭게 하는 것이 가장 큰 목적이 되어야 한다.

그래서 나는 억지로 영향력을 주려고 하기보다 삶이 진실한 사람이 되고 싶다. 무대에서 입술이나 혀로만 사역하는 사람이 아닌 삶 속에서 행함과 진실함으로 사는 사람이고 싶다. 그것이 삶으로 찬양하고 예배 드리는 것인 것 같다. 설령 최고의 것을 못 드릴지라도 최선의 것을 준비하고, 그래도 부족한 부분이 있다면 하나님의 은혜로 채우실 것임을 기대한다. 책임감 있는 사역자로

비상.
그의 수준높은 작업이
이제 시작된다.

그리고 충실한 가장으로 진실한 삶을 살고 싶다.

비자 이야기

미국에서 열리는 '크리스천 아티스트 세미나'에 참석하기 위해 비자를 만들러 갔다.

주위 사람들은 당연히 비자는 나올 리가 없다고 말했다. 나는 주로 부정적인 반응에는 반작용을 일으키는 편이다.

"하하, 그렇다면 비자는 당연히 나오지!!!"

교회에서 주는 사례금을 받고 살 때라 세금도 안 내고, 통장에 잔고도 없고, 집도 없는 몸이니 재정 보증이 너무 약하다나?

덤덤하고 당당하게 나는 '크리스천 아티스트 세미나'에 가고 싶다고 말했고, 가방에서 '살아 계신 하나님' 악보집, LP 판, 테이프를 꺼내서 테이블에 늘어놓았다.

말이 필요 없었다.

그것을 보자마자 "Oh~ It's OK." 라고 말하며 비자를 받게 해 주었다.

"믿음의 열매는 이것이니 무대포요, 곧 버팅기는 힘이라."

크리스천 아티스트 세미나
Christian Artist Seminar

'마이크 하크로(Mike Harcrow)' 와의 만남은 나의 사역에 큰 변화를 주었다. 그는 한국에 비전을 갖고, '컨티넨탈 싱어즈' 한국 본부를 만들어 사역을 시작한 사람이었다. 1989년 나는 그와 함께 'Christian Artist Seminar' 에 참석하기 위해 미국 콜로라도 덴버로 떠났다.

당연히 안 나올 거라는 비자를 너무 쉽게 받고 처음 미국행 비행기를 타던 날. KAL기 폭파 사건이 일어난 지 얼마 지나지 않은 때라 North West 비행기를 탔다. 비행기에 오르기 전 입구에서 소리를 질러 기도했다. "하나님, 이 비행기를 지켜 주세요. 미국에 갈 때까지 떨어지지 않게 해주세요." 그렇게 기도를 하고 탔더니 미국 승무원들이 나를 이상한 사람 대하듯 대했다. 마치 미친 놈 대하듯.

첫 미국 여행. 그 두근거리는 이륙 후 승무원이 다가왔다. 아마 무슨 음료수를 마실 거냐고 묻겠지. "코가 콜라, 플리이즈." 나는 영어 발음에는 자신이 있었다. 어렸을 적 아버지에게 맞아가며 발음하는 법, 사전 찾는 법을 2~3일이나 배웠기 때문에 발음 하나에는 자신이 있었다. 그런데 이게 웬일인가. 승무원이 말했다. "익스큐즈 미?" 머리가 얼기 시작했다. 그토록 자신 있게 굴렸음에도 불구하고 그렇게 쉬운 단어도 못 알아듣다니. 나는 거의 불어에 가깝도록 혀를 있는 대로 꼬아 말했다. 애써 거만한 표정을

지으면서. "콜올라아~~~~르으~~~, 플리이이 이이즈으." "익스큐즈 미?" 오, 마이 갓! 머리가 다 얼고 코까지 얼어붙을 지경이었다. 그 때 마침 건너편에서 마이크가 콜라를 마시고 있어서 나는 손짓으로 말했다. "어, 저거, 저거…." 그제서야 알아들은 승무원, "예~스, 코크!"

'코크' 처럼 시커멓게 타오르는 얼굴. 첫 미국행 비행기 안에서 그런 망신을 당하며, 그 후로 내 사역의 지경을 넓혀준 '크리스천 아티스트 세미나' 를 향해 가고 있었다.

로키 산맥 중턱에 있는 Estes Park

세미나장에 도착하기 전에 숨이 차서 죽을 지경이었다. 해발 2,000미터는 족히 넘을 것 같았다. 헉헉 헉헉, 그새 더 뚱뚱해졌나?

알아듣지 못하는 말을 하는 세미나에는 참석하지 못했지만 저녁의 CCM 공연은 참석할 수 있었다. 미국 각지에서 온 CCM 그룹 중 6팀이 40분씩의 공연을 했다. 공연은 일주일 동안 계속 되었다.

멋진 무대와 조명. "레이디즈 앤 잰틀맨, 히얼즈 화이트 허트. 김 힘 어 빅 핸드.(Ladies and gentleman, here is White Heart.

C.A.에서 : Steve Green과 함께

Give him a big hand.)" 아카데미 시상식에서나 볼 수 있는 근사한 소개와 환호성.

어느 락 그룹의 첫 공연. 연주가 시작되자 객석이 들썩이기 시작했다. 찢어지는 듯한 사운드와 깨부수는 듯한 그들의 연주에 흥분한 객석. 1500석의 객석에 앉아 있는 사람은 나밖에 없었다. 함께 갔던 하덕규도 일어나 춤을 추면서 공연에 빠져들고 있었다.

"아니, 이거 마귀 아냐~?" 나는 최대한 의자 깊숙이 몸을 숨기며 손으로 눈을 가렸다. 얼마나 정신 없고, 시끄러운 공연이었는지 내가 눈을 가릴 정도였다. 그 정도였다. 둘째 손가락과 셋째 손가락 사이의 틈으로 눈을 이리 굴리고 저리 굴리며 성한 사람을 찾아 보아도 도무지 찾을 수 없었다.

드디어 마지막 곡. 난리 법석을 떨며 공연하던 사람들이 갑자기 악기를 내려놓고 차분하게 말했다.

"우리도 세상에서 팝 음악을 하며 살 수 있었습니다. 하지만 우리는 하나님을 알게 되었습니다. 그래서 우리는 하나님을 찬양합니다."

그리고 "My Jesus~♪, I love Thee~ I Know Thou art mine~ ♬" 무반주로 '내 주 되신 주를 참 사랑하고'를 부르는 것이었다.

폭풍이 지나간 바닷가처럼 다시 잠잠해진 객석과 하늘을 맴돌아 채우며 올라가던 하모니. 그 고요한 감동에 눈물이 터져 나왔다. 눈을 가리고 보았던 그 시끄러운 장면들이 자신들의 있는 그 대로의 모습으로 하나님을 찬양하는 것이었음을 알았다.

그리고 자신은 이런 종류의 음악을 좋아하지 않는다며 조용히 일어나 나가던 '인디아나'에서 온 어느 박사의 뒷모습도 인상적이었다. 아마 그곳이 한국이었더라면 누군가 일어나서 "이게 뭐냐, 이건 마귀짓이 아니냐"고 소리치며 손가락질을 했을지도 모를 일이었다. 자신과 음악이 맞지 않는다며 남에게 피해를 주지 않고 조용히 일어나 나가는 신사적인 문화, 수준 높은 문화가 부러웠다.

다시 공연이 시작되었다. 한국의 성인 가요(트로트)에 해당하는 컨트리 풍의 음악을 연주하는 팀이 나왔다. 젊은이들의 환호성이 다시 터져 나왔다. 다양한 음악을 섭취하고 소화하는 사람들의 모습이 부러웠다. 부모 세대의 음악을 인정해 주고 존중해주는 모습을 보며 나도 그 공연들의 감동 속으로 점점 깊이 빠져들고 있었다. 문화에 대한 기대가 커지고 그것을 바라보는 시각이 넓어지고 있었다.

2집 : 나를 받으옵소서

C.A. 세미나 둘째 날 아침. 현지 최고의 CCM 가수들이 선 무대에 한국 대표로 올라가 특송을 했다. 공연장 여기저기에는 크리스천 음반과 출판에 관련된 각종 부스들이 설치되어 있었다. 그곳에서 레코드사를 광고하고 있던 '스티브 데디(Steve Dady)'와 만나게 되었다. 나의 짧은 영어에 친절하게 대답하는 스티브.

"We can do every kind of music."

Yes, We can do! We can do! 어떤 종류의 음악이라도, 원하는 대로 다 만들 수 있다며 자신감으로 가득 찬 스티브.

'짜식들, 미국 애들도 예수 믿어도 사기꾼이 많구나….'

그때 같이 갔던 하덕규 형은 나보다 먼저 스티브와 함께 '광야' 앨범을 녹음하기로 했다. 한국에 돌아와 형의 앨범을 들어보니 확실히 연주자들의 실력이 세계적이라는 생각이 들었다. 그래서 만사를 제쳐두고 휴스턴으로 가서 스티브와 2집 '나를 받으옵소서' 작업을 했다. 그때 참여한 연주자들이 바로 Mark Hanmmond(-드럼), Mark Baldwin(-기타), Gary Lunn(-베이스), Brain Green(-건반)이었다. 그리고 지금은 '호산나 인테그리티'

의 프로듀서로 활동하는 Paul Mills가 편곡자로 동참했다. 그래서 미국 CCM의 메인 연주자들과 앨범을 만들게 된 것이다.

2집을 준비하며 휴스턴으로 보낼 데모 테이프 만드는 작업을 할 때였다.

'예수 이름 높이세' 는 여자 가수가 불러야 한다며 우기는 덕신.

"짜식아, 내가 여자처럼 부르면 되잖아. 내 봐!"

간신히 뺏어도 곡이 모자라, 하루는 덕신이와 사무실에서 곡을 만들고 있었다.

'시편 23편' 을 만들고 있던 중. '겨울잠 자다가 잠시 깬 곰' 마냥 잠에 취해 고통스러워하는 덕신이를 밤새 계속 쏘아붙였다. 그러자 교회 다니는 애들의 무서운 장기가 나왔다.

"아~♬ 아~아~멘~♬ 아~아~아~멘~ 아~아~멘~ 아아~아아~멘 ♬ 아아~아아~멘 아아아아♬~멘 아~아~멘~♬"

잠은 오고 가사가 생각이 안 나는 덕신. 내리 여섯 번을 아멘으로 해치워 버리는 것이 아닌가.

무서운 놈! '나를 받으옵소서' 를 만들 때도 같은 수법을 쓴 건 아니었는지.

"♬할렐~루우~야~ 하아알레엘~ ♬루우아~ 할렐루우아~아아 아아♬ 할렐루우아~♬"

그렇게 만든 노래가 그렇게 많이 불려지다니… 무서운 내공이다.

물론, 하나님께서 그 와중에도 기름을 부으셨기 때문이겠지만.

송명희 : 하나님의 사랑은

'하나님의 사랑은' 을 녹음하던 날. 그 노래의 합창을 편곡했던 Lee Poquet은 내게 그 노래를 누가 만들었냐고 물었다(그는 얼마 전까지지도 미국 Word음악사에서 합창 담당을 했다고 한다). 나는 한국의 한 뇌성마비 시인인 송명희 씨가 글을 썼다고 말했고, 미국 사람에 비하면 '헨런 켈러' 와 비슷한 사람이라고 했다. 그는 비록 한국어 가사는 알아듣지 못해도 그 음악과 가사에 어떤 감동이 있다고 했다. 그날 그는 녹음실을 떠나지 않고 콘솔 앞에 혼자 남아 몇 시간이나 그 노래를 듣다가 갔다.

언어를 초월한 고백이 있나보다. 언젠가 명희 집에 놀러 갔을 때 명희는 자신이 쓴 글이 아니라고 했다. 그 글들은 하나님이 자기 귀에 불러 주셔서 받아 적은 것이라고 말했다.

울음이 났다.

'아니, 하나님, 내 귀에 불러 주시면 하루에 나는 수백 편을 적을 텐데요.'

나는 하나님께 효과와 능률적인 면을 따지려 했다. 그래도 나는 명희가 '나' 라는 한 글자를 쓰기 위해 쏟는 정성을 안다. 넷째 손가락과 다섯째 손가락에 볼펜을 끼고, 'ㄴ' 과 'ㅏ' 를 쓰기 위해 바닥에 몸을 구푸리며 부자유한 몸과 씨름하여 나오는 한 글자,

한 글자들. 마음으로뿐만이 아니라 온 몸을 다해 표현한 글자들. 하나님이 말씀하시면 글자로 새기기 이전에 마음으로 새기고 또 새기다 적게 되는 글자들. 어린아이처럼 하나님을 사랑하고 24시간 기도하듯이 사는 한 사람을 통해서 이 시대에 은혜를 베푸시는 하나님…….

그 때 다시 한번 사람에게 감동을 주는 것은 단지 음악이나 가사가 아니라 언어를 초월한 영성임을 알았다. 사람들에게 들려주기 위한 어떤 것이기 이전에 하나님께 드려지는 그 영혼의 순수한 고백. 그것이 언어를 초월해서 시간을 초월해서 영혼에서 영혼으로 전해지는 것임을 알았다.

합창을 제외한 모든 레코딩 작업이 끝나자, 스티브는 '휴스턴 한인교회' 성가대가 잘한다며 추천했다. '교민이 2만 명인 휴스턴에 400~500명이 출석하는 교회니 얼마나 훌륭한 성가대일까.' 기대하는 마음이 많았다.

성가대가 녹음실에 들어가고 첫 소리가 나는 순간 가슴이 무너져 내렸다.

"나는 여기서 망했구나!"

무슨 할머니 집단이 왔는지, 논두렁의 개구리가 왔는지.

"하으아니이임의 사라아앙으으으은 마알을그으은 무울울으으-으으울과아 가아타아서어어어어어어어어어."

그렇게 좋은 곡들, 세계적인 연주와 편곡에 그런 합창이라니. 휴스턴까지 와서 귀국을 며칠 앞두고, 마음이 무너져 내렸다.

녹음실을 흐르는 20~30분간의 정적. 나는 고개를 들지 못하며 괴로워했고, 스티브 역시 너무 미안해서 '미안하다' 는 말조차 하지 못하고 있었다.

일어나 로비로 나갔다. 그리고 온누리교회 성가대 대장, 장로님께 전화를 했다.

"저, 녹음 포기합니다. 포기하고 갈게요. 여기까지 왔는데, 다 잘 됐는데 합창이 너무 안돼요."

"아니예요. 성가사님, 힘내세요. 저희가 기도할게요."

몇 미터 안되는 로비에서 전화를 끊고 돌아오니 스티브가 마이크의 각도를 어떻게 조절했는지 최선의 소리를 잡아냈다. "하으아니임으으으으의 사라아아아앙으으으은" 이 아니라 "하-나-님의 사랑은-"으로 들리는 귀가 의심스러웠다. 그 때부터 녹음발이 받기 시작하여 그 날 무사히 녹음을 마칠 수 있었다. 1990년 2집 녹음 때는 또 그런 은혜가 있었다. 포기란 최선을 다하다가 안될 때 하는 것인지 하나님은 그 때 도우셨다. 나의 한계에서부터 시작하셨다.

3집 - 91년 내쉬빌 입성

'크리스천 아티스트 세미나' 이후로 나는 외국의 좋은 앨범들을 많이 들으면서 앨범에 참여한 연주자들의 이름을 눈여겨보았다. 그래서 Mark Manmmond의 소개로 1980~1990년대 미국 최고의 여자가수인 Sandy Patti의 앨범과 Steve Green, Larnelle Harris의 앨범으로 친숙한 프로듀서 David Clydesdale를 만나게 되었다. 내쉬빌에 처음 발을 내딛고 David를 사무실에서 만나 의논하던 중, David는 예산에 대해서 누가 보증을 서주냐고 물었다. 쉽게 얘기하면 사업적인 이야기를 하면서 자기가 받아야 할 돈과 예산을 떼이지 않기 위해서 처음 본 한국 사람에게 보증인을 세우라는 것이었다. 미국에서 누군가를 보증한다는 것은 한국하고는 또 다른 상황이어서 부모 자식간에도 보증은 좀처럼 없다고 한다. 그런 중에 David와 막역한 사이였던 Mark Hanmmond가 자기가 보증할 수 있다고 얘기해 주었다. Mark의 그 한마디 덕분에 그런 세계적인 대가와 만든 3집 앨범 'Hymns' 가 나올 수 있었다.

#에피소드 : '코러스'

2집 작업을 하면서 코러스 녹음을 하느라 학을 뗀 경험이 있어 3집 작업 때는 음악적으로 뛰어난 사람을 쓰기로 했다. 그래서 미국에서 전문적으로 합창만 녹음하는 사람들을 불렀다. 아침 9시부터 무섭게 고음을 내는 사람들. 기계처럼 정확하고 완벽한 음을 내지만 한국말을 가르쳐야 하는 수고가 따랐다. 알파벳으로 간신히 발음을 적어 줬으니…….

"♬내 추.는. ♬캉.한.성이요~"

"♬오, 커.룩하신 추.님~ ♬그 쌍하신 머리~"

결국 아무리 가르쳐도 안 되는 부분은 "우우~"로 바꾸고 있었다.

그런 에피소드를 갖고 나온 3집을 발표하고 빡빡한 스케줄을 따라 전국 투어를 할 때는 목에서 피가 날 정도였다. 그래도 찬송가를 그런 사운드와 편곡으로 녹음한 것에 대해서 사람들이 점수를 후하게 주어서 3집도 대박이 나게 되었다.

이 음반은 '한국 교회음악'만이 아니고, '클래식 음악계'에도 영향력을 끼쳤다. 지금은 돌아가신 '코리안 심포니' 교향악단 지휘자인 홍연택 선생님과 '한양대학'과 '국립 합창단' 지휘자이셨던 나영수 선생님, 두 분이 국립극장의 '코리안 심포니 연습실'로 나를 부르셨던 적이 있다. 그리고 "박 선생, 어떻게 해야 이렇게 음악적으로 사운드도 뛰어난 음반을 만들 수 있을까?"라는 질문을 하셨다.

그때 '코리안 심포니'는 찬송가 전집을 만들고 있었다. 홍연택 선생님은 내게 "도울 수 있으면 도우라"고 하셨다. 두 분은 직접 학교에서 배우지는 않았지만 내가 합창단 시절에 존경하고 배우던 선생님들이었다. 그래서 "제가 서울대 졸업한 박종홉니다"라고 다시 밝혀 드리고 선생님들께 나름대로 조언을 해드린 기억이 있다.

4, 5집

대체적으로 음역이 높은 3집을 내고 나서 사람들이 따라 부르기 좋은 'Praise Album'을 기획하게 되었다. 내 음악은 듣기에 좋아서 따라 부르다 보면 중간에 조가 바뀌면서 목이 아파지고 나중에는 스트레스까지 받는 것처럼 보였기 때문이다. 그래서 내 앨범은 따라 부르기에 벅찬 감상용 음악인가 싶어 사람들이 따라 부르기에 알맞은 'Praise Album'을 냈더니 사람들은 또 "그것은 박종호 스타일이 아니다"라고 했다. 많은 사람이 좋아하는 앨범이면 더더욱 좋겠지만 어떤 한 사람의 취향에 따라 음악을 맞출 수 없다는 생각이 들었다. 그래서 한 사람이라도 은혜를 받으면 됐다고 여기고 다양한 장르의 음악을 시도해 보기로 했다.

그런 마음으로 음반을 제작하다가 '마라나타'나 '호산나 인테그리티'가 한 해에 음반을 4~6개씩 만든다는 것을 알았다. 그래서 나도 1년에 4개 정도의 음반을 만들고 싶은 욕심이 생겼다. 교회 집회를 다니는 것보다 좋은 사운드의 음반을 많이 만드는 것이 좋겠다고 판단했다. 그래서 4, 5집은 앨범 하나의 제작비로 컴퓨터 프로그래밍을 많이 하여 동시에 만들었다. 그런데 '돈을 아껴보자' 는 불순한 내 마음을 아셨는지 4, 5집은 말썽도 많았고 소동도 많았다. 그래서 결과적으로는 다른 앨범에 비해 많이 팔리지는 않았지만 그래도 음악적으로도 그렇고, 여러모로 애착이 많이 가는 앨범이다.

HIS 전국 투어

1993년 여름 '4, 5집 기념 전국 투어 콘서트' 는 L.A.의 교포들로 구성된 'HIS 찬양팀' 과 같이 하게 되었다. 미국에서 태어나고 자라 한국말을 잘 못하는 교포와 투어를 하는 동안에는 웃기는 해프닝이 참 많았다.

첫 집회를 인천에서 마치고 대구에 도착했다. 숙소는 한사랑 선교회 지부였다. 교실처럼 생긴 텅 빈 바닥이었다. 그런 곳에서 처음 자보는 미국 아이들. 화장실에서 솔솔솔~ 올라오는 암모니아 냄새.

이상한 냄새를 참다 못해 잠이 깬 드러머, 처키. 코를 킁킁대며…

"What' s this? 킁킁킁 흠흠… What' s this? 흠- What' s this? 춘경이 형, What' s this? …킁킁. Oh~~~~~~~ My~ God~"

처키가 냄새의 정체를 터득한 순간, 다른 멤버들은 바닥을 떼굴떼굴 구르며 웃고 있었다.

다음 날 아침, 난생 처음으로 재래식 화장실에 간 처키. 산소가 이렇게 귀한 것이라니. 벽 위에 작은 환기통 하나가 보였다.

"하아아아~ 흡!!!!……. 하아아아~ 흡!!!!!…. 하아아아~ 흡!!!!"

일어서서 환기통에서 숨을 들이쉬고 숨을 참고 앉아 있다가 볼일을 보고 다시 일어나서 숨을 쉬고… 앉아서는 숨을 참고, 일어섰다 앉았다 일어섰다 앉았다……. 그러다가… 숨을 들이쉬기 위해서 일어선 순간, 아침 신문 배달원의 오토바이가 환기통 앞에서 매연을 '뿌아아아아앙--' 뿜고 지나가고 말았다.

"하아~ 읍!!!!!!!!!! 쿨럭 쿨럭, 오~ 마이~ 읍!!!!!!! 쿨럭!!"

뜨거운 수영장, 대중목욕탕. 우걱우걱 씹어 먹힐 때도 꾸물꾸물 발을 내미는 산낙지.

낯선 조국, 한국이 마냥 신기하기만 한 청년들.

투어를 마치고 언젠가 L.A.에서 식사하는데 처키는 "내가 태어난 조국이 엄연히 존재하고 있고 사람들이 열심히 살아가고 있는 모습을 본 것이 너무 행복하다"는 애기를 했다. 그리고 자신이 한국 사람이라는 것이 자랑스러워졌다고 말했다. New Age 소동으로 고생하던 4, 5집 투어. HIS 찬양팀의 그 고백이 내게 큰 위로가 되었다.

New Age 소동

'4, 5집 기념 전국 투어 콘서트'를 시작하기 전 온누리교회에서 집회를 할 때였다. 지금은 할렐루야교회 전임 사역자로 있는 내 친구 송명수가 큰일 났다며 대기실로 들어왔다. 게스트로 출연했던 'HIS 찬양팀'이 힙합 춤을 추며 랩을 하자 객석의 몇 명이 일어나서 "감히 하나님의 전에서 그런 사탄의 음악을 할 수 있는 거냐"고 손가락질하며 버럭버럭 소리를 지른 모양이었다.

그 때 랩의 가사는 "나는 일반 대중 음악을 할 수도 있었지만 하나님을 사랑해서 이곳, HIS밴드에서 찬양을 하는 것이 더 즐겁다"라는 그런 내용이었다. 웅성거리는 사람들. 나는 모르는 척하며 집회를 시작했고 다행히 집회는 무사히 끝났다.

그러나 다음 날. '박종호 콘서트 뉴 에이지 소동'이라는 기사가 신문에 실렸다. 하나님을 배반하는 음악을 했다는 기사. 화가 났다. 랩을 한 것은 내가 아니라 게스트였다. 그러나 내가 했다 하더라도 그렇게 좋은 가사를 노래하는 것이 왜 지탄을 받아야 하는지 알 수 없었다.

신문사에 항의 전화를 하자 담당기자가 전화를 받았다. 더 화가 났던 건 그 기자는 그 집회에 오지도 않았던 것이다. 누가 투서 전화를 해서 확인도 안해 보고 마음대로 기사를 쓴 것이었다.

그 다음날부터 지방의 모든 공연이 취소되었다. 억울하고 화가 나서 손해 배상 청구소송을 하려고 했지만 언론사를 상대로 그런 무모한 짓을 하지 말라며 말렸다. 어느 누구 하나 두둔해 주고 위로해 주는 사람 없이 불미스러운 일이라며 없었던 일로 하라고 했다.

그 해의 New Age 소동으로 4, 5집은 다른 음반에 비해 팔리지 않았고, 일도 잘되지 않았다. 급한 마음에 나는 다시 미국으로 가서 6집을 만들었다. '누군가 널 위해 기도하네' 등의 곡이 실린 6집이 나오자 사람들은 "역시 박종호 스타일"이라며 좋아했고 New Age 소동은 잠시 잠잠해진 듯 보였다.

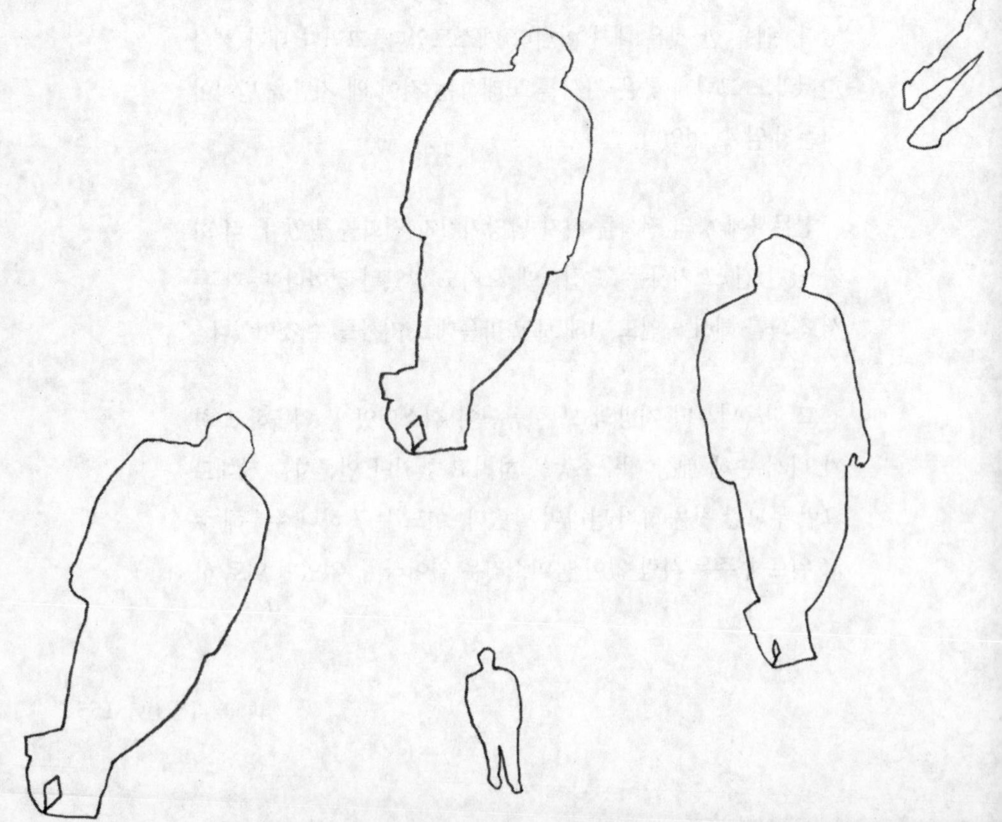

사역의 굴레 : 虛心坦懷 허심탄회

20년 가까이 이 일을 하면서 나는 두 가지 '사역의 굴레'를 발견했다. 하나는 문화에 대해 보수적이고 이원론적인 교회의 자세였다. 그리고 두 번째는 재정적인 어려움이었다. 물론 지금은 많이 변했지만 나는 처음부터 젊은이들에게 관심이 많은 사람이라서 교회의 문턱이 조금 더 낮아지고 교회 문화가 재미있길 원했다. 그래서 물 위에 떠 있는 기름처럼 세상과 섞이지 못하는 교회 문화를 보며 안타까웠다. 그렇다고 해서 뒤죽박죽 콩죽처럼 섞이자는 것이 아니라 당연히 교회가 세상을 개혁하고 리드해 가길 원했다.

나의 음악관은 음악적 형식만으로 '교회 음악과 세상 음악을 구분하지 말자'는 것이다. 물론 '세상적'이라는 말이 이미 내포하는 이원성의 모순을 잠시 접어두고 하는 말이다. 가사는 다를 수 있지만 음악의 종류에는 제한이 없어야 한다고 생각한다. 그래서 때때로 클래식한 음악이 가장 수준 있고 교회 음악에 가장 적합한 것이라는 선입견에 부딪쳐야 했다. 클래식 음악을 하던 사람은 클래식으로, 자신이 락을 하다가 예수님을 믿었으면 락으로, 힙합을 하다가 하나님을 만났으면 힙합으로. 하나님을 사랑하는 마음만 변하지 않는다면 표현의 자유를 누려야 하지 않을까.

그런데 교회는 '찬양이란 이런 것이다' 라는 음악의 정의를 내리기 원했고, 획일화된 음악을 원하는 경향이 있었다. 음악이란 다양성 그 자체로 귀한 것이 아닌지. 다양성 또한 창조의 섭리와 은혜가 아닐까.

그리고 두 번째 굴레는 '재정적인 부자유함' 이었다.

유교 문화의 바탕이 있어서 그런지 사람들은 돈을 주는 것도 부담스러워하고 받는 것도 부끄러워한다. 한번은 집회를 마치고 여러 찬양 사역자들과 함께 사례비를 받았다. 그 때 내가 농담으로 그런 말을 한 적이 있다. "얼렐레, Stop! 화장실에서 봉투 뜯어 보지마! 여기서 뜯어 봐!" 얼마가 들어 있는지 궁금한 것은 사람의 심리이다. 그런데 사람들은 이런 돈을 향한(?) 마음은 나쁜 것이라고 여긴다. 돈에 대해 당당하고 솔직하지 못한 것이다. "저, 얼마를 드려야 할지……" 목사님들은 난처해한다. 사람들에게 사례비에 대한 기준이 있다면 그건 한 가지, 많이 받기 원한다는 것이다.

풀 타임 찬양 사역자들에게 어느 목사님들은 "은혜로 받았으니, 은혜로 주라"며 희생을 원하기도 한다. 그나마 교회도 있고 성도도 있는 목사님들이 방랑적인 사역을 하는 찬양 사역자들을 존중하고 최대한 도와주려고 하신다면 좋겠다.

미국의 Keith Green이란 CCM 가수는 기독교 마켓에서 음반을 팔지 않고 콘서트장에 진열을 해놓고 도네이션(기부금)을 받았다고 한다. 그러면 사람들은 원래 음반의 가격 이상을 헌금하고 간다. 나는 그것이 부러웠다.

그래서 한번은 나도 찬양사역 초기 '살아계신 하나님' 앨범을 가지고 집회를 하면서 도네이션을 받아보고 싶었다. 수원의 어느 교회에서 집회가 끝나고 가져가고 싶은 사람은 가져가고 도네이션을 받겠다고 했다. 그랬더니 40만원어치의 테이프 100개가 하나도 남지 않았는데 들어온 돈은 2~3만원이 채 되지 않았다. "이런데도 계속 해야 되나, 말아야 되나……." 그 때부터 나는 우리의 문화적인 수준에 대해 고민하기 시작했다. 풀 타임 찬양사역자의 길을 들어선 나는 그런 의식과 문화 속에 난처해 할 수밖에 없었다.

돈에 매이지 않는 방랑적인 사역을 하고 싶었다. 그래서 '살아 계신 하나님'의 음반 자켓 뒤에 "재정적인 어려움으로 이 앨범의 구입이 어려우신 분들은 연락 주십시오. 우리 스태프들이 기도하고 보내드리겠습니다"라고 적어 보기도 했다. 생각보다 여기 저기서 연락이 많이 왔다. 그래서 스태프들과 기도하며 최선을 다해 보내주기 위해 애썼다. 그렇지만 짜증나는 요청이 없었던 것도 아니었다. 친구 선물을 해야

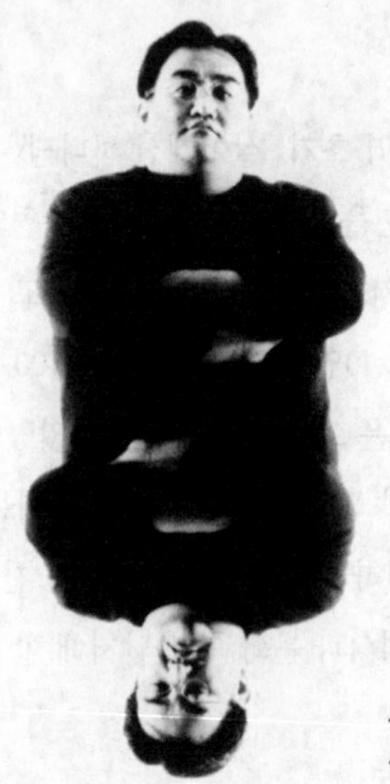

음악의 형식만으로 교회음악과
세상음악을 구분하지 말자

한다고 보내 달라는 사람들도 있었으니.

1990년 2집 '나를 받으옵소서' 전국 투어를 마치고 돌아왔을 때는 중보기도팀에 가입하겠다는 신청서가 만 장이나 모이게 되었다. 그러나 매번 중보기도 편지를 발송하는 데만 해도 우표 값이 80~90만원이 들었다. 나중에는 그것도 부담스러워서 그만두게 되었다.

쉽지 않았다. 모든 일에 얽혀 있는 경제적인 문제에 대해서도, 보이지 않는 견고한 의식의 담 앞에서도 연약하기만 한 나였다. 누구의 흉내를 낸다고 되는 일도 아니었고 혼자서 싸울 만한 일도 아니었다. 그렇다고 해서 포기할 수 있는 일도 아니었다. 사역을 한다는 것은 마치 메마른 광야로 뛰어든 것처럼 느껴졌다.

숭의 음악당 첫 콘서트

1993년 말. 7집 찬송가 앨범 'Hymns 2' 는 미국의 오케스트라 편곡의 대부인 Ronn Huff와 만들게 되었다. (*Ronn Huff는 영화 '보디가드' 에서 휘트니 휴스턴이 마지막 장면에서 불렀던 'Yes, Jesus loves Me' 를 편곡했다.)

그 무렵 지금은 남아프리카 공화국의 선교사로 계시는 김준원 목사님을 통해 한 형제를 만났다. '레닌 그라드 필 하모니' 와 찬송가 심포니를 만들어 세계 선교를 하는 게 꿈이라던 전석근 형제. 기가 막히는 꿈을 꾸는 형제였다. 세계 최고의 오케스트라와 그것도 공산권 나라인 러시아의 오케스트라와 찬송가 심포니를 만들겠다니. 그리고 만들어진 그 음반의 120명 오케스트라의 첫 웅장한 소리에 내 마음이 무너져 내렸다. 너무도 순수한 그 형제의 꿈이 좋아서 나는 음반사에서 빌린 1억원 중 7,000만원을 그 형제에게 조건없이 빌려주었다. 120명이나 되는 오케스트라 단원을 초청하는 데는 몇 억원이 필요했고, 나는 전석근 형제와 함께 교회와 기업하는 분들을 찾아다녔다. 중국에 선교 나가시는 홍정길 목사님을 떠나기 하루 전에 뵈러 갔더니 팔 없는 러닝셔츠 차림으로 반갑게 맞아주시며 말씀하셨다. "종호가 아주 의리 있구나. 친구를 위해 이렇게 뛰어다니고…." 그리고 당신은 내일 중국에 가시기에 시간이 없다고 하시며 이 말을 덧붙이셨다. "종호야, 난 내일 중국 간다. 너 왜 하용조 목사한테 먼저 얘기하지 그러니?" 홍정길 목사님과 하용조 목사님은 서로 형제 같이 지내신다. 그렇게 뛰어다닌 결과 여러 곳에서 후원을 받아 몇 천만원을 더 마련할 수 있었다.

온누리교회에서의 공연은 잘 마무리되었다. 1800~2000명이 모인 교회에서 세계 최고의 오케스트라 단원 120명의 연주는 감동 그 자체였다. 세계 역사에 빛나는 레닌 그라드 오케스트라가 한 교회에서 펼친 감동의 연주회였다.

공연 후 그 형제는 고맙다며 내게 자기가 도와줄 일이 없느냐고 물었다. 그래서 나는 콘서트를 한번 해보자고 제의했다. 교회가 아닌 일반 공연장에서 대중가요 콘서트보다 더 재미있게 해보자고 했다.

그 때 숭실대 철학과에 다니는 양세진 학생을 만났다. 4년 동안 전액 장학금을 받을 정도로 성실하고 똑똑한 학생이었다. 그런데 양세진은 "한국에 새롭고 획기적인, 수준 높은 크리스천 콘서트가 있어야 한다"며 기말고사를 포기하면서까지 1993년도의 '박종호 콘서트' 를 도와주었다. 새벽까지 계속되는 연습. 연습이 끝나면 잠을 자지 않고 포스터는 어디에 붙였는지, 몇 장 붙였는지 체크하며 '길거리 전쟁' 을 준비했다.

"성가사님, 성가사님 포스터가 길거리에 쫙~ 붙었어요."

온누리교회 성가대 학생들이 좋아하며 전화를 했다.

"아니, 거긴 하나님의 땅이 아니냐?"며 명동 복판에, 방배동 카페 골목에, 대학로에, 연대, 이대, 홍익대 앞에 콘서트 포스터를 붙이러 다녔다. 2달간의 길거리 전쟁. 대학로에 우리가 포스터를 붙이면 바로 다음 날 연극 포스터가 그 위에 붙는다. 그러면 우리는 다시 연극 포스터 위에 붙이고 연극 포스터가 다시 위에 붙고. 그러면 이번엔 시청에서 나온 아줌마들이 포스터를 물에 불려 뗀다. 그 전쟁을 2달 동안이나 새벽마다 하러 나갔다.

그렇게 고생을 하며 포스터를 붙이고 다녔더니 "요즘은 씨름 선수도 콘서트를 하나? 도대체 '박종호'가 누군가?" 하여 이목이 집중되고 있었다. '일간 스포츠', '스포츠 서울' 등에서도 나를 취재하려고 나왔다. "가스펠 가수, 박종호 콘서트" 박종호가 누구냐! 세계적 팝 아티스트의 프로듀서들과 음반 작업을 한 가스펠 가수다….

그렇게 길거리 전쟁을 하며 세진이와 나는 발로 뛰어 2,500장의 티켓을 팔았다. 스폰서도 구하지 않았다. 십만원, 백만원 쥐어주며 싫은 소리를 하는 것 같아 '깨져도 내가 깨진다'는 심정으로 했다. 그 때는 교만이 하늘을 찔렀지만 결국 내 돈 7,800만원을 들여 공연을 만들었다. 드디어 공연이 시작되고 5,100석이 3일 동안 꽉 찼다.

대박이 난 것이다. 그렇지만 나는 쪽박을 차게 되었다. 한 장에

'1만원' 하는 티켓이 예매하면 8,000원에 살 수 있었다. 그런데 대부분의 관객들이 예매를 해서 4,000만원 어치의 티켓이 팔리기는 했지만 결국 나는 4,000만원의 손해를 보게 된 것이다. 그 때 우리 집 전세 값이 3,500만원이었다.

돈을 벌자고 시작한 일은 아니었지만 경영을 잘못했는지 매번 버는 것보다 쓰는 것이 훨씬 많았다. 공연을 할 때마다 빚이 쌓이면서, 집채만한 바위를 끌고 가는 황소처럼 일을 벌였다. 문화를 일으키자는 나의 생각을 지지해 주고 또 재정적으로 도와줄 사람이 한 명이라도 나타나면 좋으련만, 나의 고집스런 성격 때문에 그런 사람도 좀처럼 만나지 못했다. "이런 문화가 반드시 이 땅에 있어야 한다. 아무도 안 하면 나라도 해야 한다." 언젠가 한번 내 고집에 스스로 풀이 꺾일 때도 있을 줄 알면서도 고독한 싸움을 하고 있었다. 교회의 것은 싸구려 포장을 해도 상관없다고 여기는, 그렇게 의식 없는 문화를 탓했다. 재력도 능력도 따라가지 못해 뒷북만 치고 있다고 욕을 하기도 했다. 때론 나도 모르게 그 싸움에 지친 마음이 '화' 로 나가고 '독' 으로 변하는 줄도 모르면서 고집스런 싸움을 계속 하고 있었다.

"종호 형제, 네가 하는 말이 맞아. 그렇게 해야 하고… 집회도 참 좋았어. 그런데 너를 보면 불구덩이를 혼자 화내면서 뛰어가는 아이 같아…."

어느 날 공연장이 아닌 교회에서의 집회를 보고 나를 위해 기도해 주시던 분이 그런 말씀을 해주셨다. 그런 소리를 들으면서

도 나는 내가 얼마나 교만한 눈으로 사람과 세상을 바라보는지 몰랐다. 다만 내가 가는 길을 끝까지 가보자는 생각밖에 없었다. 얼마나 빨리, 얼마나 멀리 가느냐보다 더 중요한 것은 '어떤 마음으로, 어떤 자세로 가느냐' 임을 알면서도 투덜거리며 내 길만 걸어갔다. 그 때 나는 잠시 멈추어 서서 주위를 둘러보아야 할 때였지만 억척스럽게 혼자 가기를 고집하고 있었다.

공연과 집회는 다르다

집회와 콘서트는 다르다. 집회는 부담 없이 은혜를 받기 위해 오는 것이고, 콘서트는 돈을 내고 즐기기 위해 오는 것이다. 그 공연 중에서 한 가지 감동이라도 얻으면 된다. 그것이 하나님 안에서 즐기는 콘서트에서 얻어가는 메시지라고 생각한다. 공연 중에 나는 설교나 간증을 하지는 않는다. 설교는 교회에 가서 듣는 것이다. 나는 멋진 연주와 조명, 연출로 승부를 낼 수 있다고 생각한다. 그래서 콘서트는 재미있어야 한다. 내가 그렇게 노는 것이 결국은 하나님을 이야기하는 것이라고 믿기 때문이다.

나는 예수 믿지 않는 애들만 재미있게 노는 것을 보면 화가 나는 사람이다.

1993년, '숭의 음악당' 에서 콘서트를 할 때였다.

공연 중에 나는 '나 같은 죄인 살리신' 찬송가를 트로트식으로 편곡해서 대걸레 자루를 쥐고 바닥을 닦기도 했고, Rock and Roll 식으로 편곡해 춤을 추기도 했다. 1992년엔 하도 나더러 뉴에이지 음악을 한다고 뭐라고 하기에 "그래, 가보자!"라는 심정으로 장난을 쳐서 연출을 했다.

"야, 저거 골 때린다."

콘서트를 마치고 팬 사인회를 하고 있을 때 어느 학생이 말했다.

"그런데, 감동이 있어."

교회 다니는 애들의 표현으로 한다면 '은혜 받았다' 와 같은 말이었다.

그 말이 내 마음에 와서 꽂혔다.

그 공연은 예수님을 믿지 않는 대중들에게도 인기가 있었다. 그 자리에 있었던, 'KBS TV-노영심의 작은 음악회' 담당 PD도 재밌게 봤는지 '크리스마스 특집' 에 나를 게스트로 초청했다. '주부 생활' '여성 동아' '경향신문' '매거진 엑스' 등 잡지사에서 취재를 나왔다.

공들여 준비한 공연을 예수 믿지 않는 대중도 관심을 가지는 것을 보고 나는 '공연 미니스트리'에 더 관심을 쏟게 되었다. 어느 대중가요 콘서트보다 더 재미있는 공연을 만들고 싶었다. 그래서 교회를 떠난 날라리들이 돌아오고 예수 믿지 않는 사람들도 자유롭게 올 수 있는 그런 공연을 하고 싶었다.

믿지 않는 사람들도 자유롭게 올 수 있는…

위로하여라 네가 아플 때 내가 너를 위로 했듯이 눈물 닦아 주어라
네가 울 때 내가 네 눈물 닦아 줬듯이
사랑은 나로 말미암는 은총 사랑은 나로 말미암는 선물 사랑은 나로
말미암는 긍휼 사랑하라 사랑하라

선명회 훼민 콘서트 1994년

집회보다는 공연에 더 관심을 가지기 시작하면서 나는 한 가지 작전을 짰다. "최대한 얼굴을 가리자. 공연을 통해서 소문을 내고, 찾아오게 하자!" 그래서 교회의 초청을 받아도 정중히 거절했다. 그랬더니 "좀 유명해지더니 오라고 해도 안 온다"며 건방져졌다고 말하는 사람도 있었다.

그렇게 욕을 먹으면서도 공연을 고집해 1994년 2월 '숭의음악당 콘서트' 후 두 달만에 계몽 아트홀에서 일주일 동안 앙코르 콘서트가 열렸다. 전회 매진되는 신나는 일이 있었다. 앙코르 콘서트가 끝나자 선명회(World Vision Korea)에서는 '아프리카 기아돕기 콘서트'를 하자는 제의를 해왔다. 이윤구 장로님께서 회장으로 계실 때였다. 콘서트에 참여한 사람들이 하루 금식한 돈을 모아서 아프리카에 보내는 뜻깊은 행사였다. 그래도 여름에는 힘들 것 같다고 여름은 피하자고 말씀드렸다. 그런데도 결국 중복과 말복이 낀 한여름 복더위에 콘서트 날짜가 잡혔다.

서울, 대구, 대전, 부산, 광주. 전국 5개 대도시 투어 콘서트. 서울 공연은 욕심을 부려 잠실 체조 경기장에서 하기로 했다. 얼마 전 김건모 콘서트가 있을 때 만 석의 자리가 꽉 차고, 온 객석이 들썩이며 같이 춤을 추는 걸 보고 '우리도 하나님을 생각하면서 찬양으로 실컷 놀아보자'는 마음에서 콘서트 장소를 그곳으로 잡았다.

밤을 새며 기획회의를 하고 다시 길거리 전쟁을 시작했다. 심지어 시내버스와 지하철에도 포스터를 붙였고 부산, 대전 등지에서는 뉴스 전에 TV 광고를 하기도 했다. 1994년도에는 체조경기장 근처에는 지하철도 없었고 성내역에서 내려 올림픽공원까지 와서도 20분이나 더 걸어와야 했다. 드디어 콘서트가 있는 날. 해가 떨어져도 떨어질 줄 모르는 기온 때문에 '과연 몇 명이나 올까' 하는 걱정이 앞섰다. 콘서트가 시작되자 5,000명이 모였다. 생각보다 많이 온 것이었고, 자리가 어느 정도 차 보이긴 했지만 마음은 허전하기만 했다. 사실 그날은 중복 더위였고 교통도 불편했는데, 그런 불편을 무릅쓰고 공연을 위해 함께 하여준 그 당시 공연장의 귀한 청중이 더없이 고맙기만 했다.

욕심을 부려 한 잠실 체조경기장 콘서트가 끝나고, 전국 투어를 마치는 동안 들어간 경비는 2억에 가까운 예산이 들었다. 투어가 끝나자 나는 선명회에 수천만원 정도의 재정적인 손해를 끼치게 되었다.

한 푼이라도 줄이려고 거의 쉰 듯한 1200원짜리 김밥을 먹으며 준비한 콘서트였지만 결국 그렇게 끝나고 말았다. 결국 선명회와의 약속을 못 지키게 되어 팔아서 적자를 메우라고 수천만원 어치의 CD와 테이프를 주었다. 그렇지만 아직도 선명회에는 빚진 마음이 남아 있다. 선명회에서는 1달러로도 생명을 구하기 때문이다. 언젠가 다시 좋은 장소와 기회가 주어져서 그 빚을 갚을 수 있기를 바란다.

네가 사역을 아느냐!

"네가 문화사역을 하겠다고?"

김준원 목사님께서 나를 뚫어지게 쳐다보셨다. 그분은 중앙대 연극영화과를 나오고 U.C.L.A.에서 저널리즘과 신학을 공부하신 문화에 대한 지경이 넓은 분이셨다.

"종호 형제, 형제가 문화사역을 하겠다면 세계 최고의 쇼를 한번 봐야지."

당시 L.A.에서 목회를 하시던 목사님은 나를 라스베가스에 데리고 가셨다. 눈을 뗄 수 없는 화려한 공연들이 빈틈없이 진행되며 사람의 마음을 마음대로 쥐었다 놓았다 하는 것이었다. 노련한 퍼포먼스와 그 스케일에도 놀랐지만 '돈을 쏟아부어서 만든 세상 문화는 이렇게도 많이 사람을 모으는구나…' 야릇한 라이벌 의식을 느끼며 라스베가스를 떠났다.

그 후로 나는 기회가 되면 세계적으로 유명한 공연들을 보러 다녔다. 잊을 수 없는 공연 중에 하나는 뉴욕의 '브로드 웨이'에서 본 '미녀와 야수'였다. '미녀와 야수'의 묘미는 마지막 장면이다. 공연이 끝나갈 무렵 야수가 공중으로 빙글빙글 올라갔다. 야수의 몸을 끌어올리는 피아노 선 같은 것도 아무것도 보이지 않았다. 그리고 5초 후 번쩍이는 불빛과 "펑!" 소리가 나더니 공중에서 야수는 왕자가 되어 내려왔다. 아직까지도 어떻게 그런 장면을 연출할 수 있었는지 이해하지 못하는데 일종의 마술인 것 같았다.

LA의 '너츠 베리팜' 이라는 놀이동산에서 본 쇼 중에서 기억에 남는 것은 '인디언 쇼' 이다. 한 인디언 노인이 투명 유리에 들어가 수도승처럼 손을 모으고 앉아 있었다. 인디언 노인이 손을 움직이며 '물고기' 이야기를 하면 손등에서 연기가 흘러나와 물고기 모양으로 변해 진열장 안을 떠다녔다. 노인이 '새' 이야기를 하면 손등에서 흘러나온 연기가 새가 되어 날아가는 식이었다. 그 노인은 신비로운 음악과 절묘하게 어우러지는 흥미로운 이야기를 하다가 마지막에는 천둥소리와 함께 사라져 버렸다. 3, 4차원 조명 예술을 이용한 '홀로그램' 이었다. 그렇게 사람이 상상할 수 없는 것들이 무대에서 연출되었다. 역시 멍했다. 쇼가 끝날 즈음에 보여주는 명쾌한 반전들이 그렇게 매력적일 수가 없었다.

'하나님이 저렇게 나타난다면 얼마나 감동적일까. 그 어마어마한 무대와 조명들을 하나님을 표현하는 데 사용하면 얼마나 좋을까. 화려한 것이 좋다는 얘기가 아니라 최고 수준의 테크닉으로 하나님을 찬양한다면… 아니, 꼭 찬양이 아니더라도 하나님 이야기를 한다면 얼마나 근사할까….' 그래서 나는 공연 문화에 대해 더 많은 관심을 갖게 되었다. 세상 어떤 문화도 좇아올 수 없는 최고 수준의 문화를 만들고 싶었다. 영화나 음악이나 공연이나 또는 그 어떤 장르든지 하나님의 때에 같은 마음을 가진 동역자들이 이곳 저곳에서 일어나 이 땅에 '예수의 문화 혁명' 이 일어나기를 지금도 꿈꾼다.

[찬양의 Symphony]

작사 Jon Mohr
작곡 Jon Mohr, Randall Dannis

우주의 작곡자요 지휘자가
주의 오케스트라 앞에 서네
피조물은 정교한 악기 들고
하늘의 무리 환호하네
찬란한 사계절 박자를 알리네
주님 신호에 태양 새벽나팔 부네
회오리바람 힘차게 불어와
지휘봉에 맞춰 몰아치네
대양의 파도가 해안을 두드리고
은하수 춤추며 회전하네
거치른 박자로 빗방울 떨어지네
천둥과 번개도 손뼉치네

Symphony로 찬양. 주님께서 지휘하시네
크고 작은 만물들 모두 소리 높여 Symphony로 찬양해
하늘은 조용히 기다리네 주 얼굴 돌리네 인간에게
정결한 옷 입은 찬양대 일어나 주님께 찬양 경배 드리네
하나님의 영광 우주에 가득 넘치네
모든 피조물도 함께 선포하네
존귀, 존귀, 죽음 당하신 어린 양

Symphony로 찬양. 주님께서 지휘하시네
크고 작은 만물들 모두 소리 높여
Symphony로 찬양해 존귀, 존귀, 죽음 당하신 어린 양.
존귀, 존귀, 어린양 예수
Symphony로 찬양 옛부터 계신 주께 영광
크고 작은 만물들 모두 소리 높여 찬양해
Symphony로 찬양해. 크고 작은 만물들
모두 소리 높여 찬양해 Symphony로 찬양해

기존의 가스펠과는 색다른 공연으로 일반인들을 끌어들인 것이 사실이다. 랩, 레게, 힙합 등 대중 음악의 여러 장르를 가스펠과 접목하는 모험을 시도하기도 했다. 이번 세종 문화회관 대강당에서의 콘서트도 그의 이런 대중성을 뒷받침한다.

– 조선일보, 1999. 3. 23

도전적, 진취적인 문화

예수 그리스도, 그 이름의 능력

1992년에 한국에 서태지 붐이 불고 학생들이 너나 할 것 없이 청바지를 찢어 입을 때 어느 잡지에 'POP 음악 속에 역사하는 사탄의 정체' 라는 글이 실린 적이 있었다. 어느 노래를 거꾸로 돌려 들으면 사탄을 찬양하는 노래가 나온다는 둥, 비트가 센 음악은 모두 하나님이 기뻐하지 않는 음악이라는 둥, 드럼은 거룩하지 못한 악기라며 예배 시간에 쓸 수 없다는 둥, 1993년 뉴에이지 소동이 일어난 것도 그 잡지의 영향이 컸던 것 같다.

한때 교회 학생들이 오락실에서 '갤러그' 를 한참 재밌게 하고 있었다. 그 때 오락실에 가면 마귀가 있고 갤러그를 하는 것은 마귀와 노는 것이라고 말하는 사람도 있었다. 내 생각에는 마귀는 오락실 같은 특정한 장소보다는 오히려 사람의 마음속에 있는 것 같다. 그래서 내가 하고 싶은 말은 대안 없는 강력한 부정보다는 도전적이고 진취적인 문화를 만들자는 것이다.

단순히 "오락실에 가지 말라"고 말하기보다 좋은 오락 프로그램을 계발하는 것이 낫다고 생각한다. '삼국지' 도 게임으로 만드는 시대에 '다윗의 물맷돌' 을 게임으로 만드는 건 어떨까. 몇 그램의 돌을 어느 속도로, 어느 각도로, 골리앗의 어느 부위에 맞으면 쓰러지고…. 그런 오락을 잘 만든다면 길거리의 아이들이 흥미를 갖고 주일 학교에 모여들지는 않을까.

나는 교회 집회를 가면 이런 질문을 자주 한다.

100킬로그램이 넘는 재판관이 들어와서 호랑이같이 근엄한 표정과 목소리로

"피고, 김00는 법조항 000에 근거하여 사형을 명한다. 땅!땅!땅!"

그럼 김00는 사형이다.

그런데 체중이 35킬로그램도 안되는 바싹 마른 재판관이 들어와서 늦가을에 얼어죽어가는 모기 목소리로

"에… 피고, 김00는 …법조항 000에 근거하여 쿨럭 쿨럭, 사형에 명한다.

(망치도 무거워 간신히 들며) 땅……. 땅…… 땅……."

그럼 사형인가 아닌가? 물론 사형이다. 그 재판관이 체중 미달이라도 사형은 사형이다. 그런데 교회에서 이런 질문을 하면 사람들이 헷갈려 한다. 마치 100킬로그램이 넘는 재판관의 큰 목소리만이 능력과 권세가 있는 줄로 아는 것 같았다.

아니다.

예수의 이름에 능력이 있다.

그래서 나같이 100킬로그램 넘는 사람이 "예수의 이름으로 명하노니 사탄아, 물러가라!" 고 할 때만 물러가는 것이 아니라 6살짜리 꼬마 아이가 앳된 목소리로 말해도, 몸이 아파 비실비실대는 사람이 말해도 사탄은 물러갈 수밖에 없다. 예수의 이름에는 능력이 있기 때문이다.

어느 목사님이 이런 설교를 한 적이 있었다.

[어느 날, 교회 예배당에 똥이 있었다. 귀신은 똥이다. 똥이 있지 말아야 할 곳에 있으면 치우면 그만이다. 그런데도 사람들은 그 똥을 유심히 관찰하며 관심을 쏟는다. 똥 성분을 조사해 보자. 똥 분자를 연구해 보자. 똥 세미나가 열렸다. 이런 원소로 많이 구성된 것을 보니 어느 구역의 누구 집사의 똥인 것 같다는 등…. 똥의 영향력과 잠재력, 똥을 대하는 우리의 자세, 똥의 어제와 오늘 그리고 내일….]

한심한 노릇이다. 똥은 치우면 그만인 것. 똥과 같은 마귀에 대한 지대한 관심과 정성이 오히려 예수, 그 이름의 능력을 간과하게 하는 건 아닌지. 그것이 바로 마귀가 좋아하는 일이 아닐까.

우리에게 필요한 것은 쓸데없는 것에 시간과 정성을 낭비하는 것이 아니다. 문화에 대한 긍정적이고 진취적인 자세! 그리고 하나님의 자녀 된 자로서 믿음의 모험이다. 시작이 있는 곳에 승리가 있다. 처음과 나중 되신 예수 그리스도, 그 이름에는 능력이 있으므로.

**남녀노소.
예수, 그 이름의
능력에 힘입어…**

"하나님, 제2의 박종호가 나오겠습니까?"

언젠가 다시는 교회 집회는 가지 않겠다고 다짐한 적이 있었다. 어느 교회에서 찬양하라고 초대되어진 날 중 · 고등부 교사들이 '너, 어디 한번 해봐라. 얼마나 잘 하는지 한 번 보자' 라는 표정으로 팔짱을 끼고 교회 뒤에 앉아 있었다. 소위 그들이 말하는 '기독교 연예인' 을 대하듯. '내가 여기 왜 와 있나' 라는 마음이 들었다. 그 날 집회는 50명 정도의 학생이 참석했고 몇 백 석이 비어 있었다. 나는 아직도 그날이 잊혀지지 않는다. 왜 그리도 냉담히 구경하고 있었을까…. 젊은 사람들이, 그것도 교회 중 · 고등부 선생이라고 하는 사람들이….

집회가 끝나자 담임목사님이 나를 불렀다. 그 집회에는 오지도 않았던 담임목사님이 "아… 수고 하셨습니다"라고 말하며 나를 뒤로 끌고 나가셨다. 사례비를 주려면 당당하게 주고 감사하는 마음으로 받으면 좋을 텐데…. 무슨 암호 접선이라도 하듯이 책 뒤에 하얀 봉투를 끼워서 옆에 사람은 없는지 눈치보면서 쓱 건네 주신다. 5만원이 들어 있었다.

'중 · 고등부 영적 각성! 총동원 전도 주일-박종호 콘서트' 그 거창한 플래카드를 만드느라 5만원쯤이 들었을 것이다. 그리고 사례비 5만원. 돈이 문제가 아니다. 그렇게 성의 없고 준비도 없

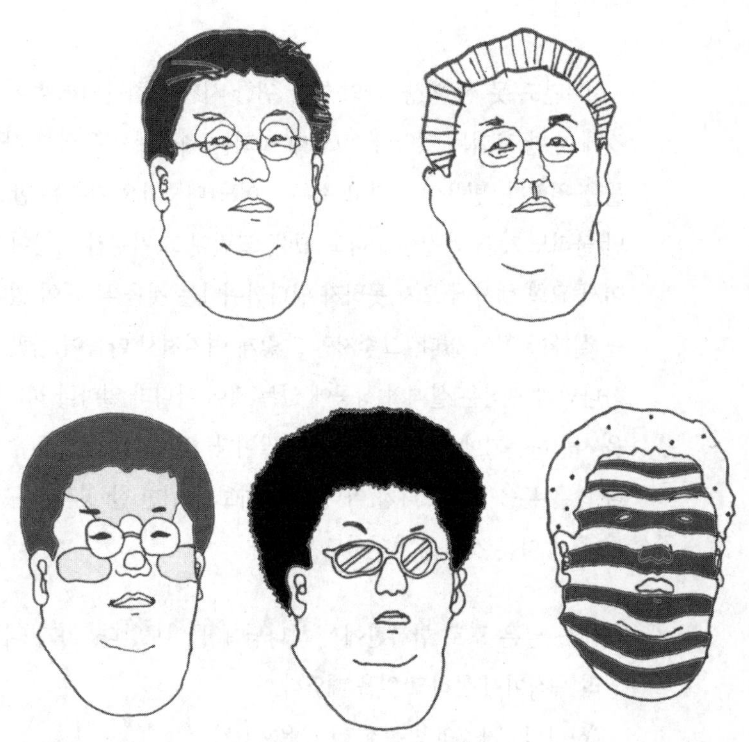

제2의 박종호가 나올 수 있을까?

는 집회를 다녀오면, 사역자들이 상해서 돌아온다. 공연이 아닌 집회를 원한다면 돈만 주고 부르면 되는 게 아니라 하나님 주시는 은혜를 함께 사모하는 마음으로 서로가 기도로 준비해야 하는 게 아닐지….

100년도 못 살 인생, 나의 가장 귀한 시간을 하나님께 투자한 것에 대한 후회는 없었다. 그런데 교회는 세상에서 유명한 사람들을 원했다. 믿음이 좋다고 소문난 어느 대중가요 가수는 한 곡만 불러도 2,000만원을 준다고 했다. 그런데 그 가수가 시간이 없어서 교회 행사에 오지 못하자 안타까워하는 것을 본 적이 있다. 난 실패한 적이 없다. 그렇지만 그렇게 여겨져서 마음이 아팠다. 하나님의 관심은 실패와 성공에 있는 것이 아니라 얼마나 하나님을 사랑하는가에 있음을 알면서도 말이다. 하나님의 성공은 얼마나 많은 돈을 얻었느냐가 아니라 '천하보다 귀한 한 영혼을 구했느냐' 에 따른 것임을 알면서도 말이다.

어느 날은 도로 한복판에서 하나님께 물어보았다. 차가 너무 밀려 움직이지 못하고 있을 때였다.

"하나님, '제 2의 박종호' 가 나올까요?"

결론은 "NO!" 였다.

만약 서울대에서 노래를 제일 잘하는 남학생이 과연 예수는 믿을까? 믿는다고 하자. 그렇다고 그 학생이 세계적인 오페라 무대를 마다하고 굳이 복음성가 가수의 길을 택할까? 그리 존중받지 못해도 젊은이들을 위해서 댄스 가수처럼, 대중가요 가수처럼 춤추며 노래할 수 있을까? 그 사람이 젊은이들을 향한 특별한 사역을 소망할까?

슬프지만 대답은 'NO' 였다. 하나님께서 침묵의 대답으로 나를 위로하실 때 여전히 나는 특별한 인도하심과 간섭하심으로 걸어온 길 위에 서 있었다. 그리고 아직도 내게는 하나님이 주신 목소리와 젊은이들을 향한 소망이 있었다.

단지 음악은 때로 내게 복음을 전하는 수단이기도 하다. 물론 음악은 음악 그 자체로도 귀한 것이라고 믿는다. 그러기에 나는 주위가 나를 경솔하게 여기더라도, 우아하게 안보더라도 하나님 앞에서 다윗을 생각하면서 춤을 추기도 하는지 모른다. 이런 내 모습을 보고 또한 나를 놓고 왈가왈부하는 사람들을 생각하는 현실 속에서 그런 생각을 했던 것이다.

쉼이 필요했다. 보이지 않았지만 어딘가에 남아서 계속 나를 아프게 하는 상처들. 그런 내게 필요한 것은 약이 아니라 쉼이었다. 하나님을 다시 찾아야 했고 그 앞에 있는 나를 다시 만나야 했다.

그 쉼을 찾아 가족과 함께 '하와이 코나' 로 떠났다.

내가 주의 신을 떠나 어디로 가오리까
내가 주의 앞에서 어디로 어디로 피하리이까
내가 하늘에 올라갈지라도 거기에 계시며
음부에 내 자리를 펼지라도 거기 계시니이다
내가 새벽 날개를 치며 바다 끝에 가서 거할지라도
곧 거기서도 주의 손이 나를 인도하시며
주의 오른손이 나를 붙드시리이다

하와이 YWAM

아직 유아원에 다니던 막내와 초등학생인 지현이, 찬영이를 데리고 아내와 함께 '하와이 예수 전도단'에 가서 훈련을 받았다. 내 영혼이 하나님을 경외하고, 좌로나 우로 치우치는 균형을 다시 잡고 싶었다. 3개월의 훈련과 2개월의 전도여행. 정지한 듯한 인생의 5개월 동안 하나님 앞에 잠잠히 있고 싶었다. 사역 가운데 지친 마음들을 만져 주시길 바라면서.

하루 2시간의 의무노동 시간. 아내와 나는 새벽 5시부터 시작하는 주방 일을 지원했고 나는 '주방 캡틴'이 되었다. 새벽 4시 30분에 일어나 샤워를 마치고 나가 일을 시작했다. 대형 냉장고에서 과일과 채소를 꺼내 씻고 계란을 굽고 오트밀을 만드는 등 150명 분의 식사를 아침마다 준비하는 것이 나의 몫이었다. 아침부터 누군가를 위해 땀 흘리고 있는 내 자신 속에 이전에 느낄 수 없는 행복을 느끼고 있었다. 아침 8시부터 30분 동안 드리는 예배가 끝나면 8시 30분부터 강의가 시작된다. 그러면 나는 졸음을 참지 못하고 어김없이 곯아떨어졌다. 그래도 은혜를 받

을 때가 되면 신기하게도 눈이 떠졌다.

어느 덧 세 달간의 강의 기간이 끝나고 전도여행이 다가왔다.

전도여행을 가려면 또 몇 천 달러가 필요했다. 인도에서 온 메리는 칠판에 '1500달러가 필요하다' 고 적었다. 돈이 없어서 등록금도 내지 못했던 할머니였다. 그 할머니는 단지 하나님이 가라고 하시는 음성을 듣고 왔다고 했다. 며칠이 지나자 10달러, 100달러 지워지더니 결국 메리에게 1500달러가 거의 채워져 가고 있었다.

'어? 나도 돈 좀 벌어 볼까?' 장난치고 싶은 마음이 생겨서, '박종호 전도여행 경비 중 모자라는 돈 1500달러' 라고 적어놨더니 다음날 누군가 100달러를 주는 것이었다. 뜨끔한 마음이 들어 얼른 칠판의 글씨를 지웠다. 그래도 '서로를 통해 공급하시는 하나님' 을 경험하고 하와이를 떠나게 되었다.

성숙해진 내 모습과 못 다 받은 것 같은 위로와 격려를 기대하며 필리핀으로 향했다.

전도여행 1

전도여행을 떠나자 서로 뒤통수만 보며 강의를 들을 때는 그렇게 은혜롭던 사람들이 원수로 변했다. 나는 문화가 다른 8개국에서 모인 외국인들을 외계인 쳐다보듯 보게 됐다. "종호 형제, 꼴뚜기 먹으러 갑시다." 필리핀 수산시장을 돌아다니며 사온 꼴뚜기를 초고추장에 찍어 먹었다. 그런 우리를 대하며 마요네즈로 범벅된 샌드위치를 먹는 미국인들은 우리로 인해 고역을 치렀을 것이다.

나는 깡패 같은 기질이 남아 있어서 일단 좋은 사람은 아무리 나쁜 놈이라도 좋고, 일단 싫은 사람은 아무리 천사라도 싫어한다. 그런 나의 못된 기질을 고치기 원하셨는지 선교 여행도 아주 미워서 죽을 것 같은 사람과 같이 가게 되었다. 어디든지 나서려 하고 가르치려 드는 것이 정말 짜증났다. '어떻게 하나' 지켜 보았지만 사랑하기 힘든, 얄미운 그런 사람이었다. 그래도 그는 자기가 다른 사람들을 얼마나 불편하게 하고 짜증나게 하는지 모르고 있었다. 그 사람만 나타나면 되던 일도 안되는 것 같았다.

그 때 하와이에서 들은 강의 중 'Another Trap'에 관한 말씀이 떠올랐다.

"하나님은 자신의 백성들을 자신이 원하시는 모습으로 만들기 위해서, A를 거치지 못하면 절대로 B로 넘어가지 않으신다. A를 거쳤다고 해서 B, C를 생략하고 D로 넘어가지도 않으신다. 한 단계, 한 단계, 완전한 훈련을 받을 때까지 기다리신다. 일주일이면 들어갈 수 있는 가나안을 40년 동안 들어가지 못한 백성들을 생각해 보라. 우상을 숭배하고 불평하고 원망하는 한 세대가 바뀌기까지 결국 하나님이 원하시는 모습으로 만들기 위해서 40년이란 세월을 광야에서 지내게 하셨다."

그래도 그 사람만 보면 속이 뒤집혔다. 순전한 것을 좋아하시는 하나님. 99.9%로 타협하기를 원하지 아니하시는 하나님인 줄 알지만, 내가 '관계'의 훈련을 넉넉히 이겨내기를 원하시는 하나님인 줄 알지만, 그 때는 수류탄만 있으면 너도 죽고 나도 죽고 싶을 정도였다.

그러던 어느 날, 대만 전도여행 때였다.

유치원 마루에서 자다 일어나 아들 찬영이랑 샤워를 하고 있었다. 샤워를 마치고 밖으로 나오던 찬영이가 욕실에서 미끄러져 세면대 쇠 받침대에 부딪히고 말았다. 오른쪽 눈 위가 너덜너덜하게 찢어져 피가 흘렀다. 뼈가 다 보일 정도였다. 찬영이를 안고 아내와 유치원 앞에 있는 병원으로 뛰어갔다.

"찬영아, 100까지만 세어 봐. 그럼 다 끝날 거야."

어린아이답지 않게 마취주사를 잘 참아낸 찬영이. 아내는 찬영이의 다리를 잡고 나는 찬영이의 머리를 잡고 의사는 낚시 바늘로 상처를 꿰매고 있었다.

"아빠, 100까지 다 셌는데, 왜 안 끝나?"

다 포기하고 싶었다. 그냥 돌아가고 싶었다. 그 때 아내가 붙잡았다. "우리가 왜 가냐고, 왜 지고 가냐고. 저 사람들은 공짜로 와서 저렇게 잘 지내는데 왜 우리가 가냐고." 아내가 오기로 남아 있자며 나를 붙잡았다.

여유롭고 넉넉한 마음, 이해하고 용서하는 예전과는 달라진 모습을 기대했지만 변하지 않은 나의 연약함이 전도여행을 통해 드러났다. 하나님이 고치기 원하신다는 신호였다. 온전한 사랑의 관계를 이루지 못하는 어그러진 마음을 드러내고 수술을 받아야 했지만 나는 스스로 상처를 동여매며 또 고집을 피우고 있었다.

전도여행 2

필리핀의 '스모키 마운틴'에 갔을 때였다. 쓰레기 매립지 구석구석에 판자촌이 있는, 한국의 '난지도'와 비슷한 곳이었다. 판자집을 힘겹게 지탱하고 있는 네 개의 나무 귀퉁이 아래로 똥물 같은 개천이 흐르고 있었다. 내가 그 앞을 지날 때 '저렇게 큰 사람도 있구나'라는 놀란 표정을 한 사람들이 하나 둘 나오더니 그 작은 집에서 일곱 명이나 나와서 나를 쳐다보았다. "아, 세상에… 이렇게 사는 사람들도 있구나."

그 산 중턱에서 우리는 어느 영국인 저널리스트가 찍은 비디오 한 편을 보게 되었다. 예쁘게 생긴 젊은 아주머니와 시궁창에서 잠수하는 아이들이 보였다. 그런데 아이들은 그 악취 나는 검은 물에서 노는 것이 아니라 빈 병을 줍고 있었던 것이었다. 그 병을 팔아서 먹고사는 사람들이었다.

"당신은 이렇게 사는 것이 괴롭지 않습니까?"라는 리포터의 질문에 그 아줌마는 웃는 얼굴로 행복하다고 대답했다. 그리고 이 말을 덧붙였다. "Because Jesus loves me. God is with us." 어떻게 저렇게 살면서도 행복할 수 있을까? 저렇게 살면서도 하나님의 사랑을 느낄 수 있을까? 쓰레기더미 속에서도 천국의 삶을 사는 사람의 환한 얼굴을 보며 마음이 숙연해졌다. 무엇을 더 받지 않아도 이미 십자가에서 주신 생명으로 감사하는 사람들의 모습이 한동안 머릿속에서 떠나지 않았다.

그 비디오를 보고, 병 걸린 아이들이 많은 고아원으로 갔다. 그곳에도 몇 십 달러가 없어서 폐결핵으로 죽어가는 아이들이 많았다. 설사를 너무 많이 하여 피부가 다 썩어버린 아이들을 아내가 안아 주었다. 죽음을 앞둔 이렇게 아프고, 외로운 어린아이들 앞에서는 나의 문화를 통한 사역이라는 것마저도 허영으로 여겨졌다. 그 사이를 맨발로 걸어 다니며 아이들을 보살피던 어느 한국 수녀님의 그림자가 예수님의 긴 옷자락처럼 내 앞을 지나갔다. '예수님도 이곳에서 아파하시고 계시겠구나…. 하나님의 마음도 이곳에서 떠나지 못하시겠구나….'

고아원을 나와 필리핀의 한 감옥을 방문했다. 창살을 사이에 두고 '들킨 죄인' 과 '안 들킨 죄인' 이 서 있었다. 비슷한 또래의 여자 죄수들이 갇혀있는 것을 보며 아내는 그곳에서 마음이 떠나지 않는다고 했다.

쓰레기를 건져 먹고사는 사람들, 그런 사람들 앞에서 내가 가난을 불평할 수 있었을까? '존재' 로서의 행복이 아닌 '성취' 로서의 행복을 찾아 헤맸던 것은 언제부터였을까? 왜 '예수 그리스도의 이름' 을 가진 기쁨을 다 누리지 못했을까? 정말 그 이름이 전부였던 걸까? 지극히 건강하고 풍요로운 삶, 그리고 자유. 그 속에서 삶으로 나누어야 했던 예수 그리스도의 이름… 태초부터 영원까지 함께 있는 이름, 예수 그리스도…. 그러나 그 이름을 몰라서 사람들은 죽어 가고 있었다. 그리 멀지 않은 곳에서, 혹은 내 곁에서.

전도여행 3

전도여행을 하면서 한 가지 깨달은 건, '문화가 다른 지역으로 선교를 떠난다는 건 불가능에 가깝다' 라는 것이다. 영어권인 필리핀에서는 날아다니던 미국의 전도팀이 한자 문화권인 대만에 오니 '이곳은 영적인 전쟁이 심한 곳' 이라며 고국으로 돌아가고 싶어했다. 음식도 입에 맞지 않고, 길거리마다 향냄새도 많지, 글씨는 빨간색 투성인 데다가 한문은 알 수 없지…. 그걸 그저 '영적 전쟁' 이라고 느끼는 것 같았다. 나는 워낙 '덜렁설렁 선교사' 라서 필리핀에서 영어를 못해서 조금 고생했지만 대만에서는 기가 올라가고 있었다. 예전에 와본 경험도 있고 한자는 원래 중학교 때부터 평균 90점이 넘은지라. 아무튼 그러면서 언어와 문화가 다른 곳으로 가는 '타문화 선교' 의 또 다른 어려움들을 배우게 된 것 같다.

어느 덧 필리핀과 홍콩에서의 두 달간의 전도여행이 끝이 나고 귀국 하루 전이 되었다.

홍콩에서 마지막 날. 우리 선교 여행팀은 지역의 선교사님들을 불러서 식사를 대접하고 교제하는 시간을 가졌다. 그 자리에는 '뉴욕 버팔로' 에서 오신 어느 선교사님도 계셨다. 15년 전에 대만의 남쪽(타이난, 大南)에서 오신 그 선교사님은 돈이 없어서 아이들을 학교에 보내지 못하셨단다. 그래서 집에서 사모님이 직

YWAM, 예수 전도단, 하와이 코나. 나는 어디에 있을까요?

접 아이들을 가르치셨다고 했다. 말이 좋아 '홈 스쿨' 이었다. 그리고 15년 동안 교회 장소를 빌린 값을 내야 하는 날짜에 맞춰서 고국에서 후원금이 온 적이 한 번도 없다고 했다. 그렇지만 한 달이 밀리고 두 달이 밀리고 쫓겨나야 할 때가 되면 어떤 사람들을 통해서, 아니면 본국에서 후원금이 늦게나마 와서 기적적으로 재정이 채워졌다고 했다. 그분들은 문화적인 차이와 경제적인 어려움이 있긴 하지만 그렇게 하나님을 경험하는 것이 행복하다고 말했다.

그렇게 귀한 분들과 앉아 있으면서도 나는 빨리 식사를 끝내고 일어서고 싶었다. 내 맞은 편에는 내가 싫어하는 그 형제가 앉아 있었다. 거기서도 아는 척을 하며 나서는 것이 보기 싫었다.

그 때 하나님의 음성이 들렸다.

"종호야, 너, 버팔로에서 이곳 대만으로 온 저 목사가 얼마나 나를 사랑하는지 아니? 나를 얼마나 사랑하면 본국에서 선교비 한 번 제대로 못 받으면서도 문화가 다른 서양에서 동양까지 와서 사는지 아니? 나를 얼마나 사랑하면 저렇게 서럽고 어려운 사역을 지탱하고 있는지 아니?"

그리고 하나님의 그런 마음이 전해졌다.

"그리고 종호야. 그런 그를 내가 얼마나 사랑하는지 아니?"

나는 방으로 돌아와서 울 수밖에 없었다. 눈물샘이 터져서 눈물이 솟구치는 것만 같았다. 하나님의 첫 번째 훈련인 '관계'의 훈련. 하나님은 돌아가시기 전에 어떤 다른 것보다도 사랑하는 법을 배우기 원하셨다. 고작 성격 차이 하나 때문에 두 달이란 시간을 불평하며 그 사람을 죽일 듯이 미워하며 살았음이 죄송했다.

그 형제를 찾아갔다. "정말 미안합니다." 사과를 했다. 그런데 그 형제는 내가 왜 사과하는지도 몰랐다. 내가 두 달 동안 자기 때문에 얼마나 많이 힘들어했는지 전혀 모르는 것 같았다. 그래서 덮어두기로 했다. 사과는 그 사람에게 뿐만 아니라 하나님께도 해야했다.

"하나님, 정말 잘못했습니다. 사랑하지 못한 것, 정말 잘못했습니다."

한국으로 가는 비행기 안에서 다시 시작해야 할 사역에 대해 생각했다. 많은 오해와 엇갈림 속에 내가 얼마나 '상처'에 민감한 사람이었는지 되돌아보았다. 아직도 혈기가 많은 나는 관계에 어려움이 많고 '상처'를 잘 주는 사람이다. 때로는 내가 '상처 공장'처럼 느껴질 때도 있다. 그러나 '상처받았다'라는 말 자체가 바뀔 필요가 있다. 오는 상처, 가는 상처 다 잡아 받고 도망가는 상처도 쫓아가서 다 잡아 받는 것 같았다. 죄인을 죽기까지 사랑하신 예수님을 믿는 사람이라면 오는 상처 피하고 가는 상처는 쫓아버려야 했다.

사역 2기

5개월만에 돌아온 한국. 한동안 서울을 떠났다고 해서 미뤄진 일은 없었지만 내 나라의 구석구석에 내가 해야 할 일이 있을 것 같았다. 돌아오는 이 없이 하나 둘 떠나기만 하는 곳, 누군가를 기다리는 사람들을 찾아가 하나님의 이야기를 나누고 싶었다. 그래서 다시 장비를 싸들고 군 단위, 읍 단위의 작은 마을을 찾아다니며 사역을 했다. 내가 시골에 가면 온 동네에 잔치가 열렸다. 찾아와 주는 반가운 사람들에게 주고 싶은 것이 많은 사람들이었다.

강원도 거진에 갔을 때였다. 밤 11시에 집회를 마치자 한 사람도 가지 않고 뒷정리를 도와주었다. 정리를 마치자 장로님이 말씀하셨다. "오늘은 000 집사 집으로 모이십시오." 그 한마디에 교회에 있던 많은 사람들이 그 집사님 댁으로 모여 아무나 먹을 수 없는 '거진 명태국'을 끓여 먹었다. 명태는 거진의 명물이었다. 식사를 하던 중 장로님께서 물어 보셨다. "선교사님, 통일 전망대 가보셨습니까?" "아니오." 그 다음 날은 버스를 대절해서 20여 명이 통일 전망대로 놀러 갔다. 그렇게 마음이 훈훈한 사람들의 정이 고마웠다.

한 번은 강원도 원통에 집회를 하러 갔을 때였다. 장비를 같이 옮기기 위해 청년을 보내달라고 했더니 그 교회 담임 목사님과 군인 한 명이 달랑 나와 있었다. 30미터나 되는 급경사의 비탈길에 눈이 쌓여 봉고차가 올라가지 못했다. 목사님이 담배 값 만원을 주고 지나가던 청소 트랙터를 불렀다. 그래도 몇 번이나 더 미끄러졌지만 간신히 교회에 도착할 수 있었다. 집회가 시작하기도 전에 화가 났다. 부탁한 청년들은 씨도 안 보이고 자리를 정리하느라고 기운을 다 써서 저녁 먹을 힘도 없었다.

집회가 시작되자 할 말이 없었다. 초등학교 학생들과 몇 명의 노인들. 또 그런 청중들은 처음이었다. 청년이 없었다. 목사님은 교회가 사례비를 준다고 해도 신학생들이 안 오려고 한다고 하셨다. 그 마을을 떠난 청년들과 시골에 오지 않으려는 신학생들을 생각하니 욕이 나왔다. 나는 화를 내며 어른이 돼도 마을을 떠나지 말고 지키자고 꼬맹이들을 두고 연설을 했다. 그 때 하나님이 물으셨다. "야, 이놈아! 너 같으면 이런 데 살겠냐?" "아, 못 살지!"

그 이후 메시지가 바뀌어졌다.

"째째한 꿈을 갖지 말자. 정말 하나님을 사랑한다면 우리 '하나님을 위해서' 라고도 말하지 말자. 치사하게 자기만 잘 먹고 잘 살겠다고 공부하지 말자. 좋은 대학 나와서 좋은 직장 나와서 혼자 잘 먹고 잘 사는 게 무슨 소용이 있냐. 우리 하나님을 위해 큰 꿈을 품자. 서울로만 가지도 말고 달에도 가는 세상에 영국으로, 미국으로, 세계로 가서 직접 꿈을 키우자. 이기주의를 채우는 유학의 꿈이 아닌 타인을 위해 살 수 있는 값진 인생을 준비하자!"

그렇게 살벌하게 멋있는(?) 이야기를 하면서 전국 70여 개의 도시와 군, 면, 읍으로 전도여행을 다녔다. 공연 문화에 대한 꿈은 포기하지 않았지만 공연을 해도 올 수 없는 사람들을 찾아가는 것이 좋았다. 내가 있어서 사람들이 행복할 수 있다면 나는 그곳에 가고 싶었다.

어머니의 임종

강원도 화천 어느 군부대에 집회를 마치고 돌아오는 길이었다. 골목을 들어서는데 앰뷸런스 한 대가 부산히 빠져나갔다.

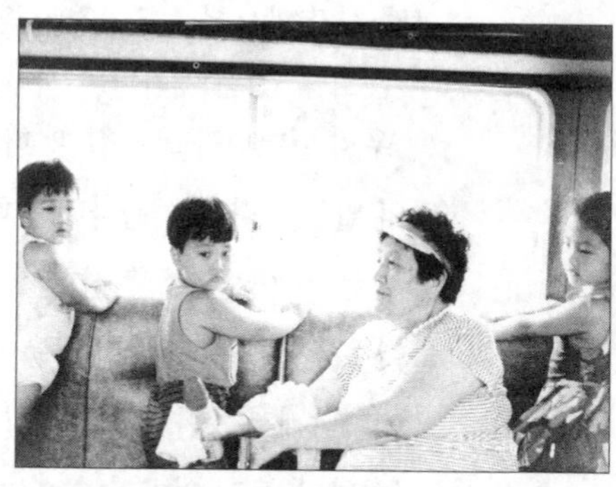
나의 어머니, 아이들의 할머니.

"아빠, 어머니 못 봤어요?"
"아니, 못 봤는데."

노인정에 계시던 어머니가 뇌출혈로 쓰러지신 것이었다. 병명은 '뇌 지주 막하 출혈'. 뇌혈관의 큰 동맥에 풍선 같은 꽈리가 생겨서 그 옆에 있는 혈관이 약해져서 터지고, 그 압력으로 연쇄적으로 혈관이 터지면서 죽게 되는 병이었다. 젊은 여의사는 어머니가 사흘을 넘기기 어려울 것이라고 말했다.

어머니를 모시고 큰 병원으로 갔다. 오진이었기를 바라면서.

그렇지만 진단 결과는 같았고 어머니의 의식은 점점 사라지기 시작했다. 한양대 신경외과 의사이신 집사님이 "그래도 원래 건강하던 분이시니 수술을 한번 해보는 게 어떻겠냐"고 했다. 어머니는 머리뼈를 잘라내어 터진 혈관을 찾아 핀셋으로 묶는 수술을 오랜 시간 받으셨고, 그 후에도 4~5번의 수술을 더 해야했다.

'우리 어머니가 쓰러질 때 하나님은 어디 계셨을까? 내가 하나님의 일을 한다고 쫓아다니면 하나님은 우리 어머니를 지켜주셔야 하는 게 아닌가?' 복잡한 생각들이 들었다. 이젠 내 기도조차 들어주시지 않는 것 같아 마음이 답답했다.

어머니께서 중환자실에 계실 때였다.

"하나님, 우리 엄마 수술 안 하고 깨어나게 해주세요."

그렇게 기도했는데도 어머니는 곧 수술실로 들어가셨다.

수술이 끝나고 수술을 마친 환자들이 쉬는 방으로 갔다. 그곳에서는 어느 할아버지 환자가 목에 구멍을 뚫고 호스를 끼운 채로 가래를 뱉고 있었다. 복도로 나가 공중전화 부스에 기대어 기도했다.

"하나님, 우리 엄마는 목에 구멍 안 뚫게 해주세요."

기도를 마치고 들어오자 주치의가 나에게 와서 "할머니는 폐렴이 걸리기 쉬우니깐 목에 구멍을 뚫어야겠어요"라고 말했다. 기도하는 것마다 다 안 들어주시는 것이었다.

어머니는 2년 3개월을 병원에 누워 계셨다. 아들이라곤 나 하나밖에 없고 아내는 아이들을 돌봐야 했다. 그래서 어머니를 돌보기 위해 간병인을 두었지만 주말엔 간병인도 집에 가서 쉬어야 했다. 주말엔 처남과 아내와 내가 돌아가며 간병을 했지만 나는 주말에 더 바쁜 사람이라 결국 돈을 더 주고 간병인에게 양해를 구했다.

그렇게 2년 3개월 동안 어머니의 병원비와 간병인 사례비로 진 빚이 1억이 넘었다. 음반도매상을 하시던 사장님께서 이자 없이 한 달에 100만원, 200만원을 빌려 주신 것이었다. 그렇지만 더 이상 빚을 질 만한 형편이 안돼서 어머니를 모시고 집으로 들어왔다.

종일 누워 계셔야 했던 어머니. 그래도 "엄마, 웃어봐"라고 말하면 주름뿐인 힘없는 얼굴로 허연 이를 드러내고 웃으신다. 다행히 간병인이 잘 돌보아주셔서 욕창은 걸리지 않으셨다. 그래도 목구멍을 뚫고 누워있는 어머니는 살아 있는 송장 같았다.

한 번은 어머니의 이를 닦아드리고 있었다. 2년 반 동안이나 코에 넣어드린 호스로 음식물을 받아서 잇몸과 치아가 많이 약해져 있었다. 그런데 "후루룩" 소리가 나더니 어머니의 잇몸이 뒤로 밀리면서 몇 개의 치아가 흔들려 빠졌다. 아찔했다. 내가 미안해할까 싶어 어머니가 눈물을 참으시는 것 같아 더 마음이 무너졌다.

그리고 몇 주가 지났다. 어머니에게 팔운동을 시켜드리는 날이었다. "엄마, 몇 번만 더하자. 너무 안 움직였잖아." 욕심을 부려 두어 번이라도 더 하려고 오른팔을 올렸는데 '툭' 소리가 나더니 탈골이 되고 말았다.

정신은 똑바르면서도 몸은 전혀 움직이지 않고 휠체어에 앉아서는 지현이와 아이들을 보면 씨익 웃으시는 어머니…. 그렇지만 세상에 하나밖에 없는 아들인 나를 가장 사랑하기에 2년이 넘는 시간을 누워 계시면서 아들이 경제적으로나 여러모로 힘들어 할 것을 알고 나보다 더 힘들어하셨을 우리 어머니…. 나보다 어머니가 더 힘들어하신다는 걸 나는 누구보다도 더 잘 알았다.

거실로 나와서 기도했다.

"하나님, 저게 뭡니까? 우리 어머니… 결국 못 일어나시고 저렇게 계속 누워 계실 거라면 차라리 빨리 돌아가시게 해주십시오. 그것이 어머니를 위한 길인 것 같습니다."

그런 기도를 하고 있는 내가 너무 서럽고 슬퍼 눈물이 쏟아졌다.

그 일이 있은 후 나는 미국 뉴저지로 '아카펠라 앨범'을 녹음하기 위해 떠났다. 그리고 그곳에서 어머니의 임종 소식을 들었다. 한국행 비행기 안에서 창 밖을 내려다보며 평생 고생만 하시다 돌아가신 우리 어머니를 생각하며 계속 울기만 했다. 그 때 비행기 승무원 중 누군가가 한없이 울고만 있던 나를 위로해 주었다.

돌이켜보면 2년 6개월이란 시간은 어머니에 대한 애착이 남다른 나를 위한 하나님의 배려였다. 나그네 같던 남편의 뒷모습에 길들여지신 나의 어머니…. 어떻게든 어머니에게만은 효도하리라고 마음먹었던 나였다. 그런 내가 갑작스러운 당신의 죽음을 맞이했더라면 어땠을까? 사역을 위태롭게 하는 방황을 하지는 않았을까? 그러나 하나님은 어머니의 죽음을 준비할 수 있었던 30개월을 내게 은혜로 베푸셨다.

1994년. 그렇게 내 삶을 지탱하던 고목이 한 그루 쓰러졌다. 그래서 이 땅에 오직 마음을 의지할 수 있는 곳은 하늘밖에 남지 않았다. 그 하늘 아래 이제 '반쪽짜리' 아들의 삶만 남아 있었다. 아들 노릇 못하는 '반쪽짜리' 아들을 두고 아버지는 어딘가를 헤매고 계셨다.

하늘 가는 밝은 길

아버지의 임종, 화해와 전도

"야, 너 이 자식, 뭐하는 거냐? 이 나쁜 놈의 자식. 너, 나하고 약속하지 않았냐? 니가 집에서 기도를 해? 너, 이 새끼, 당장 짐 싸가지고 나가!!!"

결혼한 후 얼마 지나지 않아 집에서 기도하지 말라던 아버지와의 약속을 어겼다고 우리를 몰아내시던 때가 다시 생각났다. 아버지는 역정을 내시며 집을 나가라고 했다가도 너는 보기 싫어도 며느리는 보고 싶다며 다시 들어오라고 하셨다. 그래서 다시 짐을 싸서 들어가면 너 때문에 될 사업도 안 된다며 다시 나가라고 했고, 아내가 지현이를 가졌을 때는 손주가 보고 싶다며 또 집으로 부르셨다. 그런 아버지의 변덕과 혈기 덕에 한 해에 이사를 5번씩 하기도 했다. 그렇게 잦은 이사는 사소한 것이었다. 내 어머니의 남편으로서 준 실망감에 비하면….

내가 기다렸던 건 시간이었다. 언젠가는 아버지도 어머니에게 또 나에게 미안한 마음으로 사과해 줄 시간이 오리라고 기대했다. 그렇게 나그네같이 무책임해 보였던 당신의 생을 우리 곁에 머물러 주는 것만으로도 표현해 주길 바랐다. 그러나 아버지는 내가 가장 원하지 않았던 모습으로 돌아오셨다. 이젠 너무 약해져서 아무 곳으로도 갈 수 없지만 이내 또 떠나실 것 같은 목소리로 나를 부르셨다.

"아, 종호 왔냐?" 그 목소리였다. 아련하게 좋았던 어린 시절의 기억 위로 서러움만 더 쌓이게 하는 목소리였다. 아버지가 집을 나가신 지 3년만에 다시 연락이 됐다. 어느 사기 사건에 연루되어 형을 치르다 당뇨병에 걸려 병원에 입원하신 것이었다. 죄수의 신분으로 환자복을 입고서도 무엇 하나 미안하지도, 아프지도 않아 보이는 당당하기만 한 예전 그대로의 모습이었다. 그 앞에 선 나 역시 아버지로부터 점점 더 멀어지려고 하는 못난 아들의 모습 그대로였다.

"그러고도 당신이 아들이냐"며 병든 아버지에게도 무정한 내게 담당의사가 화를 냈다. '당신이 뭘 안다고 그래? 당신이 우리 어머니가 당한 아픔을 알아? 당신이 우리 아버지를 알아? 당신이 뭘 그렇게 안다고 그래?' 그래도 입으로는 미안하다고만 했다. 아버지가 입원하신 날 뵙고 그 후로 찾아가지 않다가 위급하다는 연락을 받고서야 갔다. 그렇게 보고 싶어하시던 찬영이를 두고 아내만 데리고 갔다.

지금도 내 마음이 힘든 이유는 아버지가 우리 찬영이를 그렇게도 보고 싶어하셨는데도 끝까지 찬영이를 데리고 가지 않았기 때문이다. 할아버지에 대한 나쁜 기억을 남기고 싶지도 않았고, 아버지한테 더이상 찬영이를 보여주고 싶지 않았던 나의 멍청함이 괴롭다.

아버지는 이틀에 한 번씩 피를 갈아야 하는 '투석'을 거부하고 죽음을 기다리고 계셨다.

"아버지, 찬영이 어미예요."

온 몸이 터질 듯한 풍선처럼 부어 있었다. 퉁퉁 부어 떠지지 않는 눈에 눈꺼풀 위로 애써 움직이려는 눈동자가 굴러다니는 것이 보였다.

'얼마 남지 않았구나…. 그래도 나를 낳아주신 아버진데 화해하지 못하고… 헤어질 날이 정말 얼마 남지 않았구나….'

마음이 급해졌다.

하루 이틀, 짧은 시간의 고개를 넘어오고 있는 죽음. 이제 그 죽음을 눈감아 바라보며 누워 계시던 아버지. 그 앞에서 서둘러야 했던 못난 아들의 고백….

"아버지, 정말 미안합니다. 아버지가 날 사랑하는 것만큼 사랑하지 못해서 미안합니다…. 그래도 아버지… 아버지가 이 세상에서 나를 제일 사랑하지 않습니까. 아버지 저 한 가지 부탁이 있는데… 아버지 예수님 믿으세요…."

제발 이 한 가지 부탁만 들어 달라고, 그것이 나를 다시 만날 수 있는 기회라고, 사랑하는 아들을 이젠 천국에서밖에 볼 수 없다고, 제발 예수님을 믿어 달라고 부탁했다.

이튿날 큰아버지께서 병실 앞에 나와 계셨다. "소용 없다… 끝났다…."

숨이 넘어가기 직전이었다.

"아버지, 저 또 왔습니다…. 정말 미안합니다… 정말 사랑합니다…. 아버지, 그 동안 제가 아버지 마음 아프게 했던 것, 힘들게 했던 것들 다 용서해 주시고… 기도하니깐 제발 따라해 주세요."

이젠 아무리 얘길 해도 눈동자조차 움직이지 못하셨다. 의식불명이었다.

이미 죽은 것 같은 아버지를 앞에 두고 마지막 기도를 드렸다. 아버지가 따라할 시간을 두고 기도했다.

"하나님 아버지…… 나를 위해서…… 당신이 예수님을 이 땅에 보내셨음을 믿습니다……. 나는 죄인입니다……. 나를 용서해 주시고…… 내가 예수님을 영접합니다……. 나를 받아주시고…… 내 사랑하는 아들과…… 당신 앞에서 만날 수 있게 허락해 주십시오……. 예수님의 이름으로 기도드립니다……. 아멘…."

죽음 직전까지 열려 있는 것은 '귀' 라는 말이 맞는지 송장 같은 아버지의 오른쪽 눈가에서 눈물이 주루룩 흘러 내렸다.

'아, 아버지가 내 기도를 따라했나? 우리 아버지가 믿었을까?… 아버지가 믿었을까? 정말 내 기도를 따라하지 않았을까?'

아버지는 그 날 돌아가셨다. 둘째 어머님의 반대로 나는 아버지의 장례식에도 참석하지 못했다. 아버지는 화장을 하고 뼛가루를 뿌리는 불교식 장례를 치르셨다. 그러나 지금으로부터 8년 전의 그 눈물이 70년을 하루같이 기다린 하나님과의 화해였길 소망한다. 영원한 천국에서 아버지를 다시 만날 날을 기다리며….

하나님은 공식 속에 없다

내가 아는 하나님은 "1+1=2 다, 그리고 2+2=4다. 그러면, 4-2=뭐겠냐?"라는 식으로 우리에게 공식을 주고 정확한 답을 요구하시는 분이 아니시다. 나는 부모가 되어 아이들을 키우면서 하나님 아버지의 마음에 대해 많이 배우게 되었다.

"자식이 떡을 달라 하는데 돌을 줄 부모가 어디 있겠으며, 생선을 달라 하는데 뱀을 주는 부모가 어디 있겠는가. 하물며 우리 아버지 되신 하나님이 얼마나 좋은 것으로 주시겠는가."

나는 이 말씀을 좋아한다.

"명문대에 가라. 그 다음에 변호사가 되어라. 아니면 의사가 되어야 한다." 하나님은 어느 고약한 부모처럼 정해진 틀 속에 우리를 집어넣고 싶어하지 않으신다. 그래서 나는 "하나님의 뜻이 무엇일까?"보다 "넌 무엇을 하고 싶니?"라는 질문이 더 많았으면 좋겠다. 아버지의 기쁨은 아이들이 행복해 하는 것을 보는 것이다. 자녀들의 행복, 그 자체가 아버지의 기쁨이다. 아버지는 자녀들이 맛있는 것을 먹어서 행복해도 좋고, 좋아하는 사람을 만나서 행복해도 좋고, 꿈을 꾸고 준비하는 과정에서 행복해도 좋고, 그 꿈을 성취해서 행복해도 좋고…. 그게 아버지의 마음이다.

하나님은 복덕방에서 화투를 치다가 손님이 오면 집을 소개해 주고 구전이나 바라는 복덕방 할아버지 같은 분이 아니다. 그분은 온 우주를 소유하신 분이 아니라 만드신 분이다. 무한한 우주를 만드신 분이다.

예수 전도단의 로닝 커닝햄 목사님은 사람을 축복하실 때 단순히 "무엇을 하고 싶은가?"라고 묻는 것을 들은 적이 있다. 목사님의 질문에 사람들은 각자가 품고 있던 소망을 이야기한다. 그러면 목사님은 "형제의 소원함이 이루어지길 바란다"라고 기도해 주신다. 이미 하나님의 사랑과 진리 안에 있는 자들이 누리는 자유함! 그 얼마나 멋진 일인지…. 하나님은 우리를 종으로 부르신 것이 아니라 자녀로 부르셨다. 하나님은 우리의 사업 파트너가 아니라 삶의 '전폭적인 지지자' 이시다. 무한한 우주를 지으신 하나님. 우리가 그분을 다 이해할 수 있을까? 나는 하나님을 이야기할 때 종종 '개미 세미나' 의 예를 든다.

바닷가에서 내 손바닥만한 성을 못 넘는 개미를 보았다. 나는 그 개미를 집어서 넘겨줬다. 개미에게 기적이 일어난 것이다. 기적을 체험한 개미는 개미군단을 모아서 세미나를 열었다. 그 신비하고 큰 어떤 힘에 대해서, 그 무지막지한 힘에 대해서. 그 손의 반경과 지름, 몇 째 손가락이 어느 각도에서 내려와서 몇 초

동안 그 힘을 느꼈으며, 내년에는 그 손가락이 어디에서 출현할 것으로 예상되며….

개미 군단이 세미나를 열어서 연구한다 한들 얼마나 알겠는가.

하나님을 전부 아는 것은 불가능하다. 우리가 하나님을 이해하면 얼마나 할 수 있을까. 아들을 주신 사랑을 또 그때 하나님의 심정을 다 헤아릴 수 있을까. 우리의 경험과 시간에 비해 그분은 너무도 무한하신 분이다. 하나님은 우리에게 자신의 능력을 전부 내어 보이지 않으셨다. 이미 보여주신 은혜도 다 감당하지 못하는 우리들이 아닌지…. 하나님을 사랑하는 것만 놓치지 말자. 그리고 우리 앞에 놓여진 무한한 가능성을 잡는 우리가 되자.

8집 지명 콘서트
- 순천, 창원, 부산…

1997년 '지명 콘서트'에서는 처음으로 댄스팀이 등장하였다. H.O.T.가 한참 인기가 있을 때였는데 콘서트 중에 나는 육중한 몸에 쫄티를 입고 바닥에 앉아서 엉덩이 춤을 췄다. 쿵!쿵!쿵!쿵! 사람들은 '지진을 부르는 춤'이라고도 했다.

내가 걸어온 길, 앞으로 헤쳐나가야 할 길.
아버지 되신 하나님과 함께.

힙합도 일부러 더 했다. 뉴에이지 소동에 너무 당하고 나니 '그래, 한 번 붙어보자' 라는 마음이 생겼다. 나는 '점잖은 것' 과 '거룩한 것' 은 다르다고 생각한다. 나는 거룩이란 예수가 그 안에 있기만 하면 되는 것이라고 생각했기 때문에 공연을 즐기러 온 사람들 앞에서 점잖을 빼고 싶진 않았다.

전국 12개 도시 중 순천에서도 공연 일정이 잡혔다. 인구가 15만~20만이 안 되는 작은 도시였다. 그런데 순천 동부교회의 안금남 목사님께서 우리 콘서트가 어떤 규모로 하는지 자세히 모르고 초청을 하신 것이었다. '박종호 콘서트' 를 하려면 '350kw 발전차' 가 함께 한다. 철 구조물을 세우는 데도 4.5톤 트럭이 3~4개 동원되어야 하고 그것을 쌓는 인부만 해도 몇 십 명이 필요하다. 그래도 대중가요 가수도 한번 안 왔다간 순천에 복음성가 가수가 그렇게 큰 규모로 공연을 하니 그 지역의 교인들은 정말 신이 난 모양이었다. 그렇지만 워낙 사람이 적은 도시라 공연을 마치니 손해가 1,000만원은 족히 넘었다. 티켓만 가져가고 돈을 가져오지 않은 교회들도 많았다.

"박종호 선교사, 손해가 이렇게나 났는데 박 선교사가 나보고 다 손해를 보라고 하면 내가 볼게. 박 선교사가 결정해."

원래 약속은 그게 아니었지만 목사님이 안쓰러워 보였다.

'아니, 목사님이 무슨 잘못을 했다고…. 또 목사님이 무슨 돈이 있어서 혼자서 그 많은 손해를 볼까.'

"그럼, 목사님, 목사님 반 저 반 손해 보죠."

순천 공연에 이어 광주, 대구 공연을 마치고 서울 공연이 시작됐다. 1,700석 규모에 3일 공연. 5,000명이 왔어야 할 공연에 2,000명이 왔다.

정말 슬펐던 건 공연이 시작되면 그 날의 찬양과 메시지보다 머릿속으로 주산알을 튕기는 내 자신이었다. '아, 오늘은 5천이 깨졌구나.' '오늘은 6천이 깨졌구나.' 여기서 5천, 6천은 5천 만원, 6천만원임을 밝히고 싶다….

그렇게 5개 도시 투어를 마치고 나니 1억의 손해가 났다.

그래도 아직 8개 도시나 남아 있었다. 남은 도시를 마저 돌면 적어도 1억의 빚을 더 지게 될 것 같았다. 거기에 어머니 병원비로 진 빚을 더하면 모두 3억의 빚을 지게 되는 셈이었다.

그렇게 허덕이는 사역을 하던 내게 '박종호 미니스트리'에서 일하던, 지금 목사가 된 K형제가 말했다.

"박종호가 겉으로만 화려하지, 이렇게 빚이 많은 사람인 줄은 몰랐습니다."

그 때에도 전세로 살던 집이 3,500만원이었다.

더 이상 빚을 지기 전에 도망가야겠다는 생각밖에 들지 않았다. 부서지기까지 부딪히지 않고 비겁하게 뒷걸음치던 내게 하나님께서 말씀하셨다.

"야, 너, 박종호! 뭐 돈 때문에 도망을 가? 그것도 선교야? 그게 무슨 사역이야?"

'그래, 죽자! 죽어보자.' '뭐, 하다보면 어떻게 되겠지…' 그렇게 마음 한구석으로 솟아날 구멍을 바랐던 것도 아니었다. 다시 콘서트 장비를 싣고 창원으로 출발했다. '죽자'는 결심을 하고 떠난 길이었다. 그리고 그 길엔 하나님의 예비된 은혜가 기다리고 있었다.

창원의 '어굴로우 중보기도 모임'에서 콘서트를 위해서 기도하고 준비해 주었던 것이다. 그 기도 모임은 아줌마들끼리 모여서 세계적인 기도 제목을 두고 중보기도를 하는 곳이었다. 그분들이 쌓아두신 기도의 은혜가 쏟아져서 창원과 부산에서는 KBS 홀을 가득 메울 정도로 사람들이 모였다. 그리고 난생 처음으로 찬양으로 콘서트를 해서 돈을 다 벌게 되었다. 수익이 생긴 것이다. 빚을 더 지지 않을까 두려워서 포기하려고 했던 공연에서 흑자를 본 것이다. 그 콘서트의 수익으로 전부는 아니었지만, 콘서트로 진 빚을 아주 조금씩 갚을 수 있어서 감사했다.

그리고 하나님에게 필요한 것은 돈이 아니라는 것을 절실히 깨달았다. 아브라함에게 100세가 넘어서 얻은 아들, 이삭을 바치라고 하셨을 때 하나님이 원하시던 것은 이삭이 아니었다. 하나님이 원했던 것은 그 무엇보다도 하나님을 사랑한다는 그 마음의 표현이었다. 나의 가장 귀한 것을 취하실 권리를 하나님은 가지셨다. 그런 그분이 내 앞에서 묵묵히 기다리실 때는 내게서 '돈'이나 어떤 눈에 보이는 근사한 것을 원하는 것이 아니었다. 눈에 보이지 않는 믿음, 나를 향한 그분의 끝없는 사랑을 신뢰한다는 믿음의 표현을 원하셨다. 나의 가장 귀한 것, 내 사랑하는 마음을 원하셨다. 그리고 내 삶으로 그 사랑을 표현하길 기다리셨다. 가끔 벼랑 끝으로 몰고 가시듯 야속해 보이는 하나님이 나에게 원하시는 것은 믿음의 날개를 펴는 것이었다. 그 아찔한 낭떠러지를 내려다보며 떠는 것이 아니라 믿음의 날개짓으로 하나님의 품을 향해 날아가는 것이었다. 하나님이 내 삶에 간섭하시는 모든 이유는 모두 나를 사랑하시기 때문이었다.

고별 콘서트 1999
– 불평이 비전으로!

"내가 무슨 프로덕션 사장이야? 사장이면 돈이 많이 되는 일을 하던가?"

음반이 팔려 생긴 돈은 우리 기독교 문화 현실에 어울리지 않는 공연으로 다 날려버렸다. 사운드도 조명도 아무리 최고의 것을 고집해도 와서 보지 않은 사람은 '박종호 콘서트' 도 '보통 집회 중의 하나' 로만 생각하는 것 같았다. "야, 포스터는 어디에 붙였냐? 티켓은 몇 장 나갔냐?" 재정적인 뒷받침이 되지 않아 매번 버는 것보다 쓰는 것이 더 많았다. 그리고 처음 기획한 의도대로 공연을 잘하고 싶어서 비즈니스적인 부분을 정확하게 하려고 하면 돈을 밝히는 사람으로 취급받았다. 그렇게 사역에 스스로 지쳐가면서 "원없이 사역만 하며 살면 얼마나 좋을까. 마음껏 찬양만 하고 살면 얼마나 행복할까"라는 소망은 부치지 않은 편지처럼 뒷주머니에만 넣고 살았다. 10년 전의 포부는 어디로 사라졌는지 패전병의 모습으로 피난처만 찾는 것 같았다.

"왜, 하나님… 세상에서 실패한 사람들만 하나님을 믿는 것 같습

니까? 왜 하나님 앞에는 패전병만 모이는 것 같습니까? 낮은 자를 들어서 높은 자를 누르시고, 약한 자를 들어서 강한 자를 이기게 하시는 건 이해하는데 그럼, 하나님… 우린 모두 실패자들이어야 합니까?"

혼자 있는 오후에는 하루 종일 누르고 있던 불평이 튀어 나왔다. 그렇지만 하나님은 또 한 마디로 내 생각을 바꾸셨다.

"그래, 종호야. 그럼 네가 해봐."

불평이 비전으로 바뀌는 순간이었다. 하나님만 하실 수 있는 말이었다. 한순간도 내게서 눈을 떼지 않으시고 내 인생을 그의 보호 아래 두시는 하나님…. 긴 세월을 들인 나의 공든 탑이 무너지려고 할 때 바람을 잠잠케 하고 탑을 괼 돌을 근처에 두시는 그런 하나님. 행여 내 실수로 무너진다 해도 허리를 굽혀 다시 일으킬 소망을 주시는 분이 또 나를 격려해 주셨다. 도움을 예비하신 채로.

그래서 유학을 준비하게 되었다. 공부하지 않았던 대학 4년의 아쉬움을 채우고 싶었다. 세상 누구보다 더 유명한 사람이 되어야겠다는 욕심은 없었다. 그러나 그 누구보다도 더 우수한 소리로 돌아올 것이라는 각오를 했다. 고음에서 실컷 내 마음껏 못 내던 발성의 한계를 극복하고 내가 내고 싶은 소리들을 멋있게 내보고 죽고 싶었다. 그런 목소리로 하나님을 표현하고 싶었다.

그래서 1999년 세종문화회관에서 '고별 콘서트'가 열렸다. '고별'이라는 말은 이후에도 많은 오해의 소지가 됐지만 공연을 담당한 기획사측에서 효과적인 어필을 위해서 '고별'이라는 말을 쓰자고 했다. 나 역시 그런 표현을 해도 후회함이 없을 것 같아 그 제안을 받아들였다.

"여러분, 열심히 공부하고 돌아오겠습니다. 누구보다 더 유명해지겠다는 소리가 아니라 소리의 수준만큼은 어느 누구에게도 뒤지지 않도록 공부하고 오겠습니다. 서른일곱 살에서 마흔다섯 살까지 사역을 쉰다 해도 마흔다섯에서 이른다섯까지 최고의 목소리로 하나님을 찬양하겠습니다."

찬양 사역을 시작한 지 십여년 만에 사역을 위한 공부를 하려고 미국으로 떠났다. 그곳에서도 하나님의 날개 그늘 아래 있을 것을 확신하면서.

지현이의 바이올린

큰딸, 지현이는 타고난 목소리도 좋고 피아노도 잘 치는 음악적인 재능이 있는 아이였다. 그런 지현이가 어느 날 교회에 다녀와서 바이올린을 하겠다고 떼를 쓰는 것이었다. 이유는 주일 학교에 같은 반 아이가 바이올린 통을 들고 오는 것이 그렇게 부러울 수가 없다는 것이었다.

"이런, 세상에! 바이올린 통 때문에 바이올린 해?"

아내는 지현이가 바이올린에 소질이 있다며 학원 선생님들이 칭찬을 많이 한다고 했다.

"나 참, 학원 선생이 뭘 안다구. 다 장사하려고 그러는 거지."

나는 지현이가 성악을 해도 괜찮을 것 같았다. 그래도 결국 떼쟁이 지현이가 이겨서 5학년 때부터는 같은 교회에 다니는 선생님들에게 레슨을 받으며 '예원 중학교 입시' 를 준비했다. 하루는 바이올린을 전공한 호영이 형이 집에 놀러왔다. 뭐든지 큰 게 좋은 줄 아는 나는 지현이의 무지하게 큰 바이올린 소리를 형에게 들어보라고 했다.

"지현이가 하고 싶어하니? 자기가 좋아하면 시켜봐. 잘할 것 같아."

입시를 앞두고 지현이를 가르치던 선생님이 아내에게 물었다.

"지현이 어머님, 지현이가 이제 바이올린을 전공하는데 악기를 하나 사줘야 하지 않겠어요? 어머니는 얼마짜리를 생각하세요?"

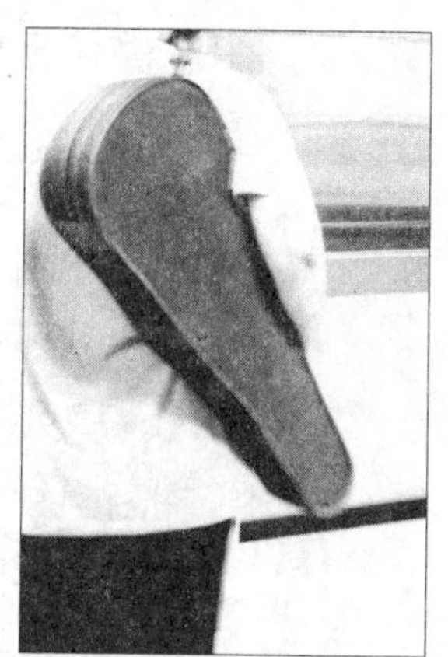

적금을 붓고 있던 돈이 600만원 정도 있던 때라 아내는 150~200만원을 생각한다고 대답했다.

"아니, 그것 가지고 전공을 시키려고 하세요?"

대가들처럼 100만 달러가 넘는 바이올린이야 살 수 없지만 바이올린을 전공하는 사람에겐 악기란 워낙 중요한 것이라서 선생님은 어이없어 했다.

그 날 저녁 아내가 한숨을 푹푹 쉬며 잠을 안 자고 계속 우는 것이었다. 왜 그러냐고 물었더니 선생님과의 대화 내용을 이야기해 주었다. 그리고 울면서 말을 이었다.

"당신은 하고 싶은 거 다하면서 살지 않았어요? 그런데 우리 지현이는 전공을 하려고 해도 바이올린 살 돈이 없어서 못 한다는 게 말이 돼요? 당신은 공연하느라 있는 돈, 없는 돈 다 쏟아붓고…."

"그만해. 하나님이 필요하다고 생각하시면 다 해주실 거야."

부모가 되어 처음으로 운 날이었다.

'그래, 나는 내가 하고 싶은 대로 최고로 비싼 돈 들여가면서 만들었지… 가난했어도 내가 하고 싶은 건 다하고 살았지. '하나님을 위한 일' 이었다고 말한다면 하나님은 어떻게 생각하실까… 내가 좋아서 한 일이었는데….'

그 때 참 이상한 믿음이 생겼다. '하나님이 해주실 거다' 가 아닌 '분명히 해주셔야 한다' 라는 믿음…. 내가 하나님을 위해서 무엇을 하고 무엇을 드려서가 아니다. 나의 딸인 지현이가 하나님의 딸이기도 했기에 그 하늘 아버지가 채우실 때를 기다리기로 했다.

어느덧 입시가 다가와 예원중학교에 원서를 내러갔다. 원서를 접수하는 곳에서 음악부장으로 있는 서울대 선배를 만났다.

"야, 종호야. 너 여기 웬일이야?"

"형, 우리 애 여기 원서 내러 왔어요."

"공부 잘하냐?"

"아, 형~ 공부가 뭐가 중요해. 바이올린 하는 애가 바이올린만 잘하면 되지."

"아니야, 여기 오는 애들은 초등학교 성적표가 다 '올 수'야. 공부 잘해?"

"5학년 때… 수학이 '가' 인데…"

4학년 때 6개월 동안 하와이에 다녀온 후에 2학기에 학교 공부를 쫓아가지 못해서 수학을 '가' 를 맞은 적이 있었다. 그런데 하필이면 예원중학교에서 요구했던 성적이 5학년 때 성적이었다. 워낙 지기 싫어하는 아이라 결국 6학년 때는 수학도 '수' 를 받긴 했지만…. 결국 우리 지현이는 실기 성적이 꽤 높은 편이었지만 예원중학교에 떨어지게 되었다. 그래도 하나님을 배우려고 투자한 선교훈련 시간은 잠시의 아픔과는 비교도 안될 것을 믿었다.

"그럼 됐다. 실기를 잘하는데도 떨어졌다면 하나님이 더 좋은 길을 예비하셨기 때문이겠지."

그래서 유학은 이태리가 아닌 미국으로 가서 지현이와 함께 공부하기로 했다. 1999년 5월 7일, 미국 도착. '줄리아드 프리 칼리지' 실기 시험은 5월 20일경이었다. 시차 적응을 해야 하고 짐을 풀어야 하는 그 분주한 기간 동안 지현이는 열흘을 준비하고 시험을 보았다. 결과는 불합격이었다.

다시 1년을 기다려야 했다. 나는 매번 지현이의 레슨에 따라다녔다. 한 시간 동안 레슨을 하고 나면 내 머리에서는 쥐가 난다. 녹음기가 되어 선생님이 말씀하시는 모든 것을 적었다.

"아, 이거는…"

'아, 이거는' 이라고 적었다.

"아, 이거는요"라고 말하면, '아, 이거는요' 하고 '요' 까지 다 받아적었다.

선생님이 바이올린을 잡고 시범을 보이실 때는 선생님의 손 모양도 다 그렸다. 원래가 그림과는 원수지간인 내가 자식이 뭐라고…. 그리고 집에 돌아오면 꼬박꼬박 지현이와 함께 복습을 했다. 9월부터 학기가 시작되었는데도 지현이는 하루에 6~8시간의 연습을 했다. 방학 때는 12시간을 연습했다. 내 딸이지만 무서운 집념을 가진 아이였다.

1년만에 다시 돌아온 기회. '혹시 떨어지면 어쩌나' 하는 마음에 매일 차를 타고 줄리아드에 가서 시험을 앞두고 '여리고 기도' 를 드렸다. 여리고 성이 무너졌던 사건과 똑같이 엿새를 매일 같이 돌고 시험을 치는 날은 일곱 바퀴를 돌았다.

드디어 시험일이 왔다. 실기 시험을 보러 온 학생들은 어린애들이 아니라 '제2의 장영주' 를 꿈꾸는 무서운 세계의 천재들이었다. 지현이 앞 순서에 한 중국 아이는 '파가니니'를 연주하고 있었다. 기가 질렸다. 그 아이는 정말 살벌하게 잘했다. 그런 애들이 오는 줄도 모르고 작년에 시험을 보게 했다니….

"아이 씨, '여리고 기도' 하고 왔는데…. 아니야, 그래도 분명히 하나님이 도우실거다…."

지현이 차례가 되었다. 녀석이 얼마나 잘했는지 심사 위원들이 일어나서 박수를 치고 '브라보' 소리가 여기 저기서 터져나왔다.

며칠 뒤 가족들과 외출을 하고 들어오니 '자동 응답기'에 합격 여부를 알리는 메시지가 수신되어 있었다. 합격이었다! 처음 합격이라는 소리를 듣는 순간 지현이의 눈물이 전방 1미터 앞으로 쏟아졌다. 폭포처럼 아래로 쏟아진 것이 아니라 소화기처럼 앞으로 쏟아졌다. 눈물이 방울방울 흐르는 것이 아니라 마치 가래떡처럼 굵고 길게 연결된 눈물이었다. 그리고 곧이어 눈동자에 걸렸던 눈물이 30~40cm 가량 주욱 떨어지더니 마루에 튕겨서 사방으로 흩어졌다. 나는 사람 눈물이 그렇게 흐르는 것을 처음 보았다.

지현이는 '줄리아드 프리 칼리지'에 입학 한 후로도 매 시간마다 선생님들에게 칭찬을 받으면서 잘해 내고 있다. 나는 우리 지현이가 누구보다 더 유명해지기를 바라는 것이 아니라 세계 최고의 소리를 내기를 바란다. 가난한 사람들을 위한 음악학교를 세우는 것이 우리 지현이의 꿈이다. 그래서 나는 지현이에게 네가 먼저 세계 대가가 돼라고 말한다. 하나님 앞에서 최선을 다해 준비한 사람에게 하나님은 준비된 동역자들과의 사역을 허락하신다고.

큰딸이 믿음의 경주를 하는 동안 그 옆에서 같이 뛰면서 하나님 앞에 내 자신을 드렸다는 믿음이 생겼다. 나는 하나님이 내리신 저주는 3대까지 이르지만 그 축복은 천대에 이른다는 말씀을 믿는다. 내가 다 받지 못한 축복을 하나님이 우리 아이들에게 주실 것을 믿는다.

뇌졸중…

나의 나 된 것은 다 하나님 은혜라

처음 미국에 도착해서 건강 검진을 받았을 때 주치의가 혈압도 높고 당뇨병도 좀 있고 신장병도 있으니 '조심하라' 고 말했다. 아직 학교를 안 다닐 때라 달리 할 일이 없었던 나는 'Y.M.C.A. 체육관' 에 매일 나가 열심히 운동을 했다. 그랬더니 주치의는 한 달이 안 되어 건강이 호전되어 정상이 되었다고 했다.

2000년 2월 12일.

운동을 꾸준히 해서 10킬로그램 정도 빠졌을 때였다. 그래도 체질상 땀을 많이 흘리는 나는 2월의 추운 겨울, 영하의 날씨에 보일러를 끄고 자고 있었다.

새벽 5시. 오른쪽으로 누워 자는데 오른쪽 뺨이 저리고 피가 안 통하는 것 같았다. 그래서 왼쪽으로 돌아누웠는데 그래도 계속 오른쪽 뺨이 따끔거렸다.

"아아아아씨, 밤새 살이 또 쪘나…."

일어나 화장실을 가는데 불안한 마음이 들기 시작했다. 숨을 깊게 쉴 수가 없었다. 아내를 깨우고 911을 불렀다. 체했나 싶어 바늘로 열 손가락, 열 발가락을 따는데 갑자기 오른쪽 눈이 뒤집혔다. 오른쪽 눈의 상이 완전히 180도 뒤집어졌다. 왼쪽은 정상이었지만 눈의 밸런스가 안 맞아 눈을 감아도 어지러웠다. 뇌출혈 증세였다. 돌아가신 어머니가 생각나는 순간이었다.

911 긴급 구조대가 왔다. 산소 호흡기를 채우고 앰뷸런스에 실리는데 영화의 한 장면처럼 바로 앞에 있던 아내가 한순간에 줌렌즈 속으로 들어가더니 200~300미터 뒤로 물러나는 듯이 보였다. 아, 이렇게 되는 거구나….

"찬영아, 아빠 위해서 기도해라."

"응… 아빠…."

앰뷸런스에 누워 병원으로 가면서 주기도문을 외웠다. 머릿속으로는 그 짧은 순간에 온갖 생각이 다 났다. '아, 나도 이렇게 가는 건가. 엄마처럼 죽는 건가. 아니, 죽지는 않았지만 일어나지 못해서 나만 아니라 내 아내가 고생하게 되면 어쩌지….'

10분만에 병원에 도착했다. 다행히 뇌혈관은 터지지 않았다. TIA(트랜잭션 이스케믹 어택) '일시적인 뇌출혈 증상' 이었고 우리말로는 '중풍' 이었다. 일시적으로 뇌에 산소 공급이 안되어 시신경을 다쳤다고 한다. 그런데 정말 짧은 순간에 산소가 차단된 것이었다. 마비된 시신경은 차차 회복되기 시작했다. 그렇지만 물체의 잔영이 오래 남아있어 계속 어지러운 증상으로 눈을 뜨지 못했다.

늦게서야 알게 된 거지만 내가 구급차에 실려 나갈 때, 한국에서 처남이 안부 전화를 해서 찬영이가 상황을 얘기했다고 한다.

처남은 서울의 온누리교회에 다니고 있었다. 그날이 마침 한국에서는 주일 오전이었다. 그래서 "박종호 성가사가 위독하다"는 이야기를 광고 쪽지로 예배를 인도하는 목사님에게 전했고, 사회를 보는 목사님은 예배 시간마다 성도들에게 기도부탁을 했다고 한다.

어느 날 천국에서 미국 땅에서 쓰러진 나와 한국에서 기도하던 사람들을 영화의 한 장면처럼 보게 된다면 기분이 어떨까. '누군가 날 위해 기도한다' 는 것이 얼마나 큰 축복인지…. 그리고 보이지 않는 곳에서 나를 위해 기도해 주시는 그 사랑으로, 그 기도의 축복으로 내가 이렇게 살아가고 있지는 않은지…. 지금도 기도 중에 나를 기억해 주시는 모든 분들께 감사한 마음을 전한다.

일주일간 병실에 누워 있으면서 내 속에는 십여년간의 사역에 대한 아쉬움이 많다는 것을 알게 되었다. 이 땅에 더 남아서 사랑하고 싶은 가족들에 대한 미련도…. 사역을 위해 공부하기로 하고 떠나 공부를 시작하기도 전에 그렇게 쓰러지고 회복된 모든 것이 하나님의 은혜였다. 내가 처음으로 나의 약함을 알게 된 것은 다 그분의 은혜였다. 그리고 축복이었다. 나를 위해 기도하는 누군가 있다는 것도, 그 기도를 들으시고 일으키시는 분이 있다는 것도, 나의 나 된 것도 다 하나님의 은혜였다.

황소론 : 虛心坦懷 허심탄회

내가 너와 함께 하리라 내가 너와 함께 하리라
세상은 변해도 모든 것은 없어져도 내가 너와 함께 하리라
내가 주와 함께 합니다 내가 주와 함께 합니다
십자가 있어도 모든 것 없어져도 내가 주와 함께
내가 너와 함께 하리라 내가 너와 함께 하리라
세상은 변해도 모든 것은 없어져도 내가 너와 함께 하리라

나는 한 번 공연을 해도 멋있게 하려고 한다. 그런데 공연을 하려면 조명 설치비와 연주비만 해도 몇 천만원이 들고, 때로는 공연 하나에 1억원 이상의 예산이 들어가기도 한다. 교회가 그만한 재정을 감당하기는 어려운 일이다. 때로는 교회의 요청으로 집회와 공연의 차이를 설명하기도 한다. 이로 인해 나는 욕을 먹는 사역을 하게 되었고 오해를 많이 받는 사역을 하게 되었다. "유명해지더니, 건방져졌다더라. 오래도 안 온다더라. 한 번 부르는데 몇 천만원이 든다더라."

사람들은 나를 스타처럼 대했다. 그것은 사실 내가 바라는 일이 아니다. 나는 절대로 스타가 아니다. 나 자신에게 화려한 무대는 의미가 없다. 교회 예배당과 공연 무대나 하나님을 찬양하는 곳이라면 내게 똑같은 의미를 가진다. 그래도 공연은 확실히 재미있는 것이 사실이다.

"박종호가 오는 것보다 '파바로티' 나 '도밍고' 가 오면 더 좋아하지 않을까."

사람들은 아니라고 말했다. 그렇지만 세상에서 이름난 사람들을 더 찾는 것 같았다.

떠나고 싶은 마음이 많았다. 보람이 없는 것은 아니었지만 환경이 힘들었다. 사역 가운데 관계에 대한 상처들도 많이 있었다. '의사도 10년 이상은 공부하는데 적어도 영혼을 얘기하는 사역자는 10년 이상의 인간과 인생에 대한, 지식에 대한 공부를 해야 하지 않을까' 라는 생각을 했다. 학벌이 중요하다는 이야기가 아니라 의식이 없는 사람들과 부딪치는 게 힘들었다.

지금은 그것이 교만이었다는 것을 알고 책을 통해 사과하고 싶다. 그래도 그때는 교회 안에 너무도 깨기 어려운 문화의 벽이 답답하기만 했다. 우습게 여기던 마음이 있었다. 서로가 기도로 준비한 집회를 하고 싶었다. 그렇지만 가끔 준비도 없고 성의도 없는 집회로 마음이 상해서 돌아왔다. 세상의 명예를 배설물로 여기고 선택한 길이었지만 사람들이 하나님의 일을 '싸구려'로 준비하는 것 같을 때는 속이 상했다. "어차피 말해 봤자 서로 이해하지 못할 텐데. 너는 너대로 40년을 살았고 나는 나대로 40년을 살았으니. 서로 상처 주지 말고 제 갈 길을 가자. 그래, 난 내 길을 간다. 누가 뭐래도 역마차는 달린다!"

내 속에 있던 그런 '화'가 나도 모르게 사람들에게 나쁜 영향을 주었는지도 모르겠다. 그런데 뇌출혈로 쓰러지고 일어난 후로는 사람들은 내가 변했다고 말했다. "내가 변했다구? 아니, 공연 중에 하는 노래도 거의 똑같고 멘트도 비슷한데 뭐가 변했다는 얘기지?"

그런데 사람들은 "박종호의 자아가 죽었다"라는 표현을 썼다.

그 말이 틀린 것도 아니었다.

"하나님, 한국에는 청소년과 청년들을 위한 크리스천 문화와 공연이 없습니다. 내가 이들을 위해 공연과 문화를 만들려고 합니다. 그래야 하지 않겠습니까. 내가 하겠습니다. 그러니 도와주십시오. 하나님이 도와주셔야 합니다."

예전엔 그렇게 하나님을 황소로 만들어 놓고 내가 원하는 방법대로, 방향대로 끌고 갔었던 것 같다. 그러나 그 그림은 변함이 없을지라도 이제는 황소가 이끄는 대로 쟁기를 끌고 따라가는 삶을 살고 싶다. 그리고 하나 더 배운 게 있다면 이제는 포기할 줄도 안다는 것이다. 안되면 끝까지 되게 하려고 고집 부리지 않고 '부족한 부분은 또 다른 은혜로 채워주시겠지…'라는 기대를 갖게 되었다. 싸워서 이기려고 하지 않는 평화로운 사역을 하고 싶다.

"종호야, 나를 위해서 이런 일을 좀 해줄래?"

하나님은 한 번도 그렇게 묻지 않으셨다. 일을 위해서 나를 부르신 분이 아니었다. 하나님은 나를 종처럼 부리기 원하지 않으신다. 단지 "종호야, 내가 너를 사랑한다"라고 말씀하신다.

누군가는 하나님이 나를 언제 부르셨냐고 묻기도 한다. 그러나 하나님은 나를 부르신 적이 없다. 어떤 일을 시키기 위해 멀리 있던 나를 부르셨던 적이 없단 말이다. 하나님, 그분은 언제나 내 곁에 계셨다. 다만 내가 하나님의 존재를 깨닫기 시작했을 뿐이었다.

매네스 음악학교에서 오페라를 포함해 성악 공부를 다시 시작하고 2~3주가 지나자 스스로 소리가 달라지는 것을 느꼈다. 세계적인 유망주들과 대가들이 모인 뉴욕에서 지지 않으려고 노력하며 열심히 공부했다. 늦은 나이에 책가방을 들고 등교를 하면 여기 저기서 한국 학생들이 "선생님~"하고 부르며 따라와 인사를 한다. 대학 동창들의 제자들이었다. 꾸준히 공부를 했으면 벌써 교수가 되었어야 할 나이에 유학을 떠난 것이었지만 좋은 환경에서 배울 수 있게 해주신 하나님의 은혜에 감사한다. 유학을 떠나려고 했을 때 어머니가 쓰러지셨고, 또 그 빚을 갚느라 미뤄왔던 유학이었지만 하나님은 가장 정확한 시간에 나를 그곳으로 인도하셨다.

나는 또 하나님의 은혜로 매네스 음대에서 좋은 선생님을 만났다. 루스 발콘(Ruth Falcon), '메트로 폴리탄 오페라 하우스'에서 주로 푸치니 오페라를 전문으로 노래하시는 분이었다.

루스는 나에게 "어떻게 이런 소리를 가지고 이 나이에 올 수 있냐고, 넌 5년만 일찍 왔어도 세계 무대에서 통할 수 있는 소리"라고 레슨 때마다 얘기하며 아쉬워했다. 물론 내 안에도 '좋은 소리를 좀더 어린 나이에 냈다면 좋았을 텐데…' 하는 아쉬움이 있다. 그러나 내 속에서 하나님을 찬양하는 속사람이 외쳤다.

"5년이 아니라, 50년을 늦게 왔어도 하나님이 함께 하시면 할 수 있다."

하나님은 실수하지도 후회하지도 않는 분이심을 나는 안다. 서두르시지 않으시지만, 결코 한 번도 늦으신 적이 없는 하나님을 찬양한다. 주의 시절을 좇아 내가 그의 섬세한 인도하심 가운데 있었음을 감사한다.

2002년 5월 25일 졸업식 다음 날, '프로페셔널 스터디(Professional Studies)'를 마치고 하나님은 나를 뉴저지의 한 아

담한 교회에 세우셨다. 찬양하는 도중에 내가 그렇게도 원하던 유학의 첫 열매를 하나님 전에서 하나님을 찬양하는 것으로 드리고 있다는 것을 알았다. 취할 것은 취하시는 하나님…. 지난 40년의 세월이 한결같이 그의 손에 있었음에 눈물이 났다. 부드럽지만 언제나 강한 그의 손으로 나를 붙드셨음을 알았다.

세상의 그 어느 멋있고 화려한 무대보다도 하나님의 전에서 찬양하는 그 한 시간은 더 아름답고 나의 존재를 귀하게 만들어 주었다. "여호와, 우리 주여, 주의 이름이 온 땅에 어찌 그리 아름다운지요." 하나님의 존전에서 찬양하는 것이 얼마나 소중하고 아름다운 축복인지를 알게 하신 하나님을 찬양한다.

2002년 10월, 11집 '바닥에 새긴 사랑' 을 가지고 3년 반만에 다시 사역을 시작한다. 서울로 돌아갈 채비를 하는 동안, 바쁜 사역에 다시 하나님의 여유로움을 잊을까 염려되기도 한다. 그렇지만 약한 자에게 더욱 깊은 하나님의 은혜를 기대하면서 짐을 꾸린다. 내가 없다고 해서 안되는 일은 없지만 나로 인해 사람들이 행복할 수 있다면 나는 그곳에 있고 싶다. 하나님의 일을 하는 사람이 아닌, 하나님을 사랑하는 사람답게 살고 싶다.

100년도 못 살 인생, 이제 마흔의 고개를 넘었지만 아직도 가야할 길이 남아 있다. 고난이 내게 주었던 은혜를 기억하며 언제나 나와 동행하시는 하나님을 향해 떠나는 길을 떠나고 싶다.

5부

나의 가족

지현이

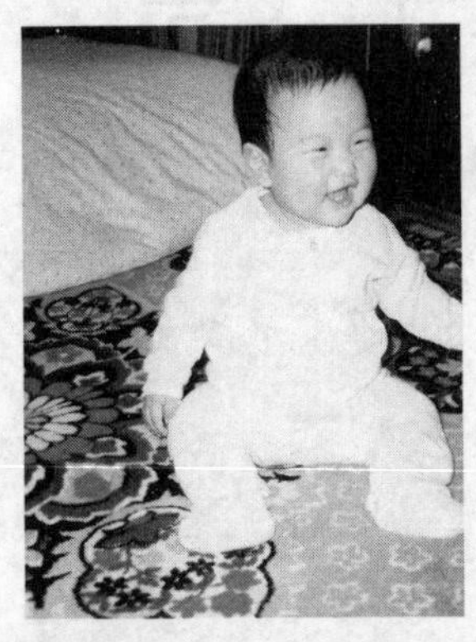

1985년 11월 신림동에서 아내와 저녁을 먹고 나오는 길이었다. 아내는 체한 것 같다며 속이 더부룩하다고 했다. 길 건너편 약국으로 뛰어가 '까스명수'를 사서 먹이고, 아내의 등을 두드려 주었다. "체한 데에는 토하는 게 최고다!" 만 23살의 새신랑은 그게 임신인 줄도 모르고 신림동 사거리에서 애꿎은 아내의 등만 두드리고 있었다.

그 날 이후 아내의 입덧이 시작되자 '가족 축구단'을 만들겠다던 야망이 되살아났다. 박일, 박이, 박삼… 박구, 박십, 박십일. 11명의 아들을 낳아 나는 대표감독 겸 후보선수로 뛰며 월드컵에 지대한 공헌을 해보겠다던 기억이 떠올랐다. 그래서 기도도 세게 했다. 밤이고 낮이고 아내의 배가 내 앞을 스쳐 지나갈 때마다 그 배를 붙들고 기도했다. "하나님, 내 팔자에는 딸이 없습니다." 분명히 아들이라는 확신까지 들어서 감사기도도 드렸다. "하나님, 이 아들을 주셔서 고맙습니다." 그 때마다 아멘으로 화답하는 아내. 그렇게 유치한 기도를 하면서 사뭇 진지하게 하며 첫아들을 기다리고 있었다.

1986년 8월 26일

'가족 축구단 창단식'을 10여년 앞두고 첫 아이가 태어났다. 그런데 "어라? 딸이네?" 그렇게 간곡한 기도에도 불구하고 딸이 나왔다. 기도를 잘못했다는 생각이 들었다. 처음엔 그나마 붉은 기가 있던 지현이가 자라면서 나처럼 꺼멓게 변하는 것이었다. '까스명수' 때문인가?…… 가족 축구단의 대표선수가 태어났어야 할 그날에 치어리더가 태어나고 말았다. 그래도 아버지는 그렇게 좋아하실 수가 없었다. 나는 장난감 한번 사준 적이 없지만 아버지는 매일 나가서 지현이의 장난감을 사다 주셨다.

찬영이

지현이가 걸음마를 배우기 전, 아내가 또 길거리에서 체한 것 같다며 토하는 것이었다. 그래서 이번엔 '훼스탈'을 먹였다. 그것도 임신이었다. 만 24살의 철없는 아버지의 기도가 다시 시작되었다. "하나님, 우리 지현이 때도 아들이라고 기도했지만 딸이 나왔습니다. 그렇지만 이번엔 진짜 아들을 주십시오. 하나님께서 주신 이 아들은…" 그래도 중간에 믿음이 안 생겼다. "하나님, 이 안에 있는 놈이 딸이면 빨리 바꾸어 주십시오." 산달이 다가왔다. "하나님, 지금이라도 바꿔 가지고 하나 달고 나오게 해 주십시오." 무더운 7월 만삭인 아내에게 성악에서 하는 복식호흡과 단전호흡을 가르쳐 주었다. 그리고 순산을 위해 기도했다. "하나님, 쉽게 나오게 해 주십시오. 똥 싸듯이 쉽게, 확!!! 나오는 순산의 축복을 주십시오."

1988년 8월 5일

아내에게 진통이 왔다. 좀처럼 엄살을 안 부리는 아내가 아프다고 했다. 아무리 아파도 "어…" 하고 말아버리는 아내가 "좀 아퍼. 어…어…어…" 하면서 계속 배를 만지는 것이었다. "병원 갈까?" "아냐, 좀 더 있어야 해. 내가 알어."

그래서 저녁이 되어서야 병원으로 갔다. 지현이 때는 종합병원에 갔었지만 이번에는 개인병원으로 갔다. 산모와 아이를 더 잘 돌보아줄 줄 알고 아는 병원을 찾아갔다. 진료가 끝난 시간이라 간호사밖에 없었다. 계속 괜찮다고 하던 아내가 갑자기 아프다고 했다. 그 때 아기가 나오려고 했나보다. 그런데 아기를 받아야 하는 시기를 놓치고 말았다. 그래서 태아는 산모의 뱃속에서 탯줄을 목에 감고 태변을 쌌다. 전기고문을 당하는 죄수가 자신도 모르게 똥오줌을 싸는 것처럼 둘째아이가 죽음의 위협을 느낀 것이었다. 아는 병원이라고 갔는데 더 황당한 일만 생겼다. 아이는 거의 다 나온 상태였다. 의사 선생님이 오시자 놀라시며 간호사를 막 야단치셨다. 태변에는 독이 있어서, 양수에 녹은 독을 아기가 먹을 위험이 있다고 말했다. 그 독이 뇌로 올라가면 태아가 뇌성마비가 된다고 했다. 의사 선생님은 소아과 의사인 남편을 불러왔다. 급히 뛰어내려온 소아과 의사가 아이의 코며 입이며 다 빨아냈다. 그리고 위험할 뻔했다며 앞으로도 3~5살까지는 잘 지켜보라고 하셨다. "아이씨, 아들이라고 하나

나왔는데 이게 웬 난리야….”

아내는 둘째아이와 함께 산후조리실로 옮겨졌다. 한국 사람은 여자가 애를 낳으면 몸을 따뜻하게 해야 한다며 병원에서 보일러를 틀어주었다. 복더위에 쩔쩔 끓는 방구들에 이틀 동안 누워 있으니 세 식구가 튀김이 돼서 죽을 것만 같았다. 나는 그때가 지옥 같았다. 그래서 하나님께 회개했다. 사람이 기도할 때는 단어도 골라 하자는 생각이 들었다. 똥 싸듯이 낳게 해달라고 “똥! 똥! 똥!” 했더니 지 엄마 뱃속에서 똥을 싸서 날 때부터 애가 그 고생을 할 줄 어떻게 알았을까.

그렇게 태어난 찬영이는 어려서부터 잔병치레가 많았다. 아픈 꼴을 못 보는 우리 집안은 감기 기운만 있어도 약을 몇 배로 세게 해서 먹는다. 감기가 오기도 전에 약으로 찍어 눌러 버리자는 것이다. 그런 집안에서 애가 마르고 약한 꼴을 못 보는 할아버지와 함께 살고 있었다. 할아버지는 ‘아토실’ 이라는 영양제를 두살박이 아이들에게 먹이셨단다. 수두를 한 차례 치르면서 온 집을 초긴장 상태로 만들었던 아이들이 퉁~퉁~하게 살이 오르는 것이었다. 아버지는 아주, 애들 살찌게 만드는 데는 재주가 있는 분이시다.

지윤이

1989년 12월 8일

우리 셋째, 지윤이는 꿈이 한 가지이다. 얼마 전에는 화가, 그래도 지금은 패션 디자이너.

우리 지윤이가 태어난 사연도 보통 이야기가 아니다.

만 25살에 두 아이의 아버지가 되고, 정신없이 사역 초기를 보내고 있을 때였다. 아내도 갓난아이 둘을 돌보느라 힘이 많이 부치던 때였고, 연애 없이 한 결혼에 서로를 알아가던 때라 싸우기도 많이 싸웠다. 그렇게 정신없이 살던 중에 하루는 아내가 임신을 했다고 날짜를 꼽는 것이었다.

"하나님, 이게 뭡니까? 생명은 하나님 소관인데 이게 어떻게 된 겁니까? 애 둘도 정신없는데 어쩌라는 겁니까?"

새벽기도까지 나가서 하나님께 하소연을 하고 있었다. 그 때 황당해 하시는 하나님의 음성이 들렸다.

"나한테 왜 그러냐?"

생각해 보니 내가 진짜 웃긴 놈이었다. 왜 하나님께 책임을 돌리고 있지? 잠은 내가 자놓고….

아이가 생기던 딱 하루. 나는 그 날을 '실수?'로 여겼고 하나님은 '역사'로 여겼다. 한 생명을 만들기 위해서 하나님은 철저히 간섭하셨다. 육체적인 관계로만 사람이 만들어지는 것이 아니라

지윤이가 그린
아빠의 찬양하는 모습

생명에 대해서는 침해할 수 없는 하나님의 권리가 있었다. 하나님에게 가장 소중한 것은 생명이었다.

이제 출산을 기다리면서 '똥 이야기'는 안하기로 했다. 그래도 축구단에 대한 희망은 버리지 않았다. 그런데 엄살을 피우지 않는 아내가 진통이 오자 그렇게 힘들어 할 수가 없었다. 병원으로 가는 차 안에서 30분이 넘도록 신음소리가 끊이지 않았다. 남대문 새벽 도매시장이 물건을 하러 온 사람들로 인산인해를 이루었고 차는 빠져나갈 길이 없었다. "아, 아저씨!!!!! 여기 임산부 출산

해요!!!! 비켜주세요!!!!" 아무리 크게 소리를 질러도 트럭 하나 꿈쩍하지 않았다. 하는 수 없이 인도로 갔다. 타이어 한 쪽을 인도에 걸친 채로 병원까지 몰고 갔다. 그래도 진짜 걸작은 병원에서 일어났다.

혼비백산한 아내를 두고 남자 간호사가 유유히 말했다.

"자, 가운 갈아 입으시고요…."

체온 재고, 키 재고, 몸무게까지…. 그 새벽에 진통으로 숨이 넘어가는 아내에게 그 남자 간호사는 기초 검사를 하려고 했다. 뒤늦게 온 수간호사가 아내를 보고 그 간호사에게 호통을 쳤다. 애 머리가 다 나왔는데 이게 뭐하는 짓이냐고. 곧장 엘리베이터를 타고 분만실로 간 아내는 10분만에 지윤이를 낳았다.

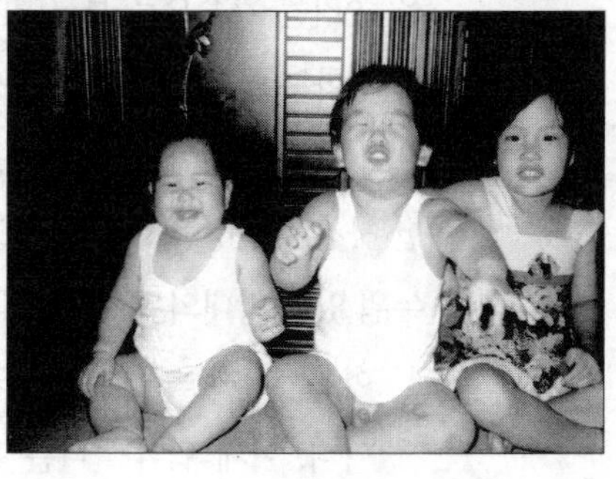

그렇게 우여곡절 끝에 태어난 지윤이를 보며 아내는 보통내기는 아닐 거라고 말했다. '아아, 능구렁이는 어디로부터 오는 걸

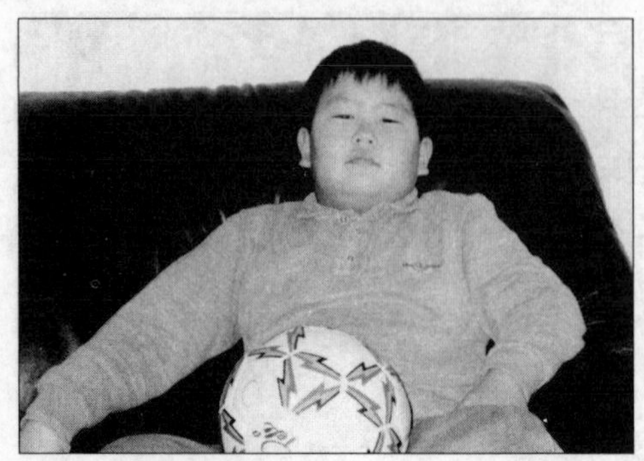

아버지! 축구단에 대한 소망은
제 대에 이루어 드리겠습니다.

까…'

지윤이가 초등학교 2학년 때였다. 하루는 가족이 거실에 모여서 공포 영화를 봤다. 참고로 나는 정말 무서운 걸 싫어하는 사람이다. 내가 어릴 적에 광화문 국제극장에서 '엑소시스트'를 상영할 때는 극장 입구에 앰뷸런스가 대기하고 있었다. 미국에서도, 일본에서도 그 영화를 보다가 심장마비로 죽은 사람이 있었기 때문이다. 영화는 좋아해서 극장에는 가도 눈을 가린 손가락 틈새로 자막을 확인하고 안 무서운 부분만 골라보던 나였다. 그런 나를 닮은 찬영이와 TV 브라운관을 쫄리는 가슴으로 보고 있었다. 제법 무섭기로 소문이 파다한 그 영화는 클라이막스 부분으로 치달았다. 브라운관의 퍼런 불빛으로 거실에는 이미 냉기가 돌고 있었다. 아아, 우리 가족은 끔찍한 사건의 현장을 그냥 지켜보고만 있을 것인가…. 그 때! 소파에 누워 있던 막내의 목소리가 들렸다.

"아유~ 저게 죽으려고 환장을 했어요."

'아니, 이게 뭐야?' 나는 우리 집에서 그런 소리를 처음 들었다. 그 더운 여름에 덕지덕지 괴물 분장을 하고 열연하고 있는 TV 속의 외국인 배우들이 순간 무안해 하는 듯이 보였다. 그 무섭기로 유명한 영화를 무슨 홈비디오 보듯이 뚱~ 하니 보고 있는 지윤이…. '저게 애가 아니구나…'

미국에 와서는 이런 일도 있었다. 어려서부터 가르쳐 주지도 않은 존댓말을 구사하고, 남다르게 신사적인 찬영이와 이성 친구에 관한 이야기를 하고 있었다.

"찬영아, 너가 진짜 좋아하는 여자 친구가 생기잖아. 그럼 나한테 얘기해. 아빠가 납치해다 줄게. 납치해서 우리 어디 무인도나 가서 같이 살자."

"됐어."

약간의 관심을 보이던 찬영이는 그 후로 별다른 이야기를 하지 않았다. 그런데 하루는 막내가 할 말이 있는 듯 다가왔다. 잘생긴 걸 워낙 좋아하는 지윤이에게 마음에 드는 오빠가 생긴 모양이었다. 총총총 걸어와서 대뜸 하는 말.

"아빠, 그 오빠 데려오면(납치해 오면) 안돼?"

아이구, 남자가 여자를 데리고 와야지, 여자가 남자를 잡으러 가냐?

보통 애가 아니구나.

찬영이는 말도 늦었다. "아빠, 아빠, 아빠, 아빠, 아빠, 나 저거 사줘, 이거 사줘!" 지현이가 다섯 마디를 넘게 말할 때도 찬영이는 "…빠…."

아마도 그 '빠' 한 마디에는 '나도 그것이 갖고 싶다. 나에게도 그것을 사주었으면 좋겠다. 그러나 엄마와 아빠를 위해서라면 나는 그것을 포기할 수 있다.' 정도의 말이 함축되어 있는 듯. 어려서부터 소유를 초탈한 덩치 큰 아들의 굼뜬 한 마디에 '얘가 똥독이 안 빠져서 말이 이렇게 느리나?' 근심하던 날도 있었다.

뭐 어때용? 아빠– 이렇게 이쁘고 사랑스러운데~

찬영이가 5살 때였다. 찬영이 친구 동민이(가명)와 동민이 엄마, 그리고 찬영이를 차에 태우고 어디에 데려다 주는 길이었다.

"야, 저거는 그랜저야. 저건 르망이구, 저건 그냥 택시고 저건 모범택시야. 저렇게 노란 택시는 비싸니깐 타면 안돼."

5살짜리 꼬마 아이가 어떻게 그렇게 세상물정에 밝은지…. 룸미러로 보이는 어벙벙한 찬영이의 표정. "어… 어…."

'아니, 이 아줌마가 얼마나 애 앞에서 돈 얘기를 했길래, 애가 저렇게 영악할까? 그래도 우리 애는 순진무구하잖아…. 아, 그래도 녀석! 말이라도 좀 하지!'

'아' 다르고 '어' 다른 세상에 '어' 한 마디로 간편하게 사는 찬영이가 똑똑한 그집 아들한테 계속 깨지고 있었다. 그 때 광명시로 가는 버스가 우리 차 옆을 지나갔다.

"아빠, 하안동!!!!"

버스 앞에 붙은 글자를 보고 찬영이가 말했다. 똑똑한 그 집 아들 엄마가 놀라서 묻는 말.

"아니, 애가 한글을 다 읽어요? 아니, 애가 얼마나 똑똑하길래 벌써 한글을 다 읽어요?"

"글쎄요." 나도 놀랬다. '이겼다! 드디어 처음으로 이겼다!!!' 통쾌해하며 돌아오는 길에 나도 모르는 그 영문을 찬영이에게 물어보았다. 내 아들이 신동이었다. 가르치지도 않은 한글을 스스로 깨우쳤나보다.

"찬영아, 너 어떻게 읽은 거야?"

신이 나서 묻는 아빠에게 찬물을 끼얹는 아들. 하안동 아파트에 살고, 누나 지현이가 하안동 피아노 학원에 다니던 때였다. 그래서 아파트 벽에서 그리고 피아노 학원가방에서 낯익은 그림(?)을 보고 읽은 찬영이. 찬영이에게 '하안동' 이라는 글자는 고대인들의 그림문자와 같은 것이었다. 그래도 그 아줌마는 아직도 내 아들이 신동인 줄 알고 있을 것이다. 쉿!!!

지현이와 지윤이가 또 무슨 말도 안 되는 장난으로 찬영이 속을 썩였나보다.

"아빠, 때리면 안 되지?"

누나와 여동생 사이에서 덤빌 데도 없고, 자신의 가슴만 퍽퍽 치며 괴로워하는 찬영이….

5살쯤 됐었나? 하루는 쇼파에 올라가 뽀빠이처럼 팔을 들고 노래를 불렀다.

"♬나는 나는 저팔계 ♬ 왜 나를 싫어하나?"

쇼파 밑에 누워서 찬영이를 올려다보다가 까무러칠 뻔했다.

"이놈의 시키, 너 지금 무슨 노래를 하는 거야?"

"아빠, 아빠, 찬영이 나가면 사람들이 슈퍼 뚱돼지라고 그래."

지현이의 말에 더 속이 상했다.

'아니, 뚱돼지면 뚱돼지지 슈퍼는 또 뭐야?'

찬영이는 마음이 여린 아이였다. 그래서 운동을 하면 달라질까 싶어 태권도를 시켰다. 우리 찬영이는 덩치는 좋아도 깡이 없어서 싸움을 못한다. 그래서 누가 때리면 꾸벅꾸벅 잘 맞아 준다. 한번은 초등학교 1학년 때 학원 형이 때렸다며 맞고 들어왔다. 태권도 학원 짱의 임무는 학원 차가 서면 문을 열고 닫아 주는 것이다. 찬영이는 그 '차장' 역할이 그렇게 하고 싶었던 모양이다. 그래서 초등학교 4학년인 학원 짱에게 주머니에 있는 100원, 200원을 꺼내주며 "나, 문 좀 열게 해줘." 그러나 짱은 날름 돈만 받아먹었다. 그리고 "왜 문 안 열게 해주냐"고 묻는 찬영이를 때려서 돌려보낸 것이었다.

그래서 다음 날 학원차가 오는 시간에 맞춰 찬영이를 따라나갔다.

"너가 우리 찬영이 때렸어?"

'세상에 이렇게 큰 사람도 있나?' 문을 열던 짱이 자기보다 20배는 커보이는 나를 보고 기겁을 했다. "아니오"도 아니고 "어어어어어." 오금이 저린 듯 다리를 떨며 혼자서 납량특집 영화를 보는 사람처럼 무서워하고 있었다. "너 우리 찬영이 또 때리면 죽어! 응?" 그리고 속으로는

'니네 아버지를 데리고 와봐라. 내가 더 크지!'

얼마나 유치했던지. 초등학교 4학년이랑 붙었으니….

그래도 그 날 저녁은 유난히 하나님 생각이 많이 났다.

'나는 초등학교 4학년하고도 싸우는 아버진데… 하나님은 눈에 넣어도 안 아픈 자기 아들이 십자가에서 갈기갈기 찢겨 죽으시는 것을 어떻게 참으셨을까…. 하나님은 내가 그토록 좋았을까…. 나를 살릴 수 있는 길은 그 길밖에 없어서 그렇게 자기 아들이 물과 피를 쏟게 하셨을까? 어떻게 나를 위해서 자기 아들의 죽음을 외면하셨을까?'

죄 없는 사람이 십자가에 달리는 것만큼 억울한 일이 또 있을까? 나는 내 아들이 200원을 뺏기고 맞은 것도 그렇게 억울한데… 그렇게 유치한 사건이 있던 날 밤, 나는 하나님께 사랑한다

는 고백을 할 수밖에 없었다.

"하나님, 내가 그렇게 좋으십니까? … 하나님, 사랑합니다."

항상 크고~ 힘쎈~ 아빠마마!!

천대에 이르는 축복

1990년 온누리교회에서 집회를 하는 어느 날 저녁 지현이, 찬영이, 지윤이가 맨 앞줄에 앉아 있었다. 누가 내 자식 아니랄까봐 웃긴 얘기를 하면 셋이서 깔깔대면서 아주 좋아서 넘어가는 것이었다. 그리고 진지한 이야기를 하면 또 숨을 죽이고 똘망똘망하게 귀를 기울여 주고는 함께 기도했다. 그 날의 메시지는 '겟세마네 기도' 에 관한 것이었다.

황야의 무법자 가족입니다. 짜잔~
그런데 말들이 시무룩합니다.
지쳐보입니다.

잠시 후, 종호네 다섯 식구만이
황야에 남았습니다.
말들은 어디로 갔을까?

예수님은 겟세마네 동산에서 십자가 죽음을 앞두고 "아버지, 이 잔을 옮기실 만하시거든 옮기시옵소서. 그러나 내 뜻대로 마옵시고 아버지 뜻대로 하옵소서"라고 기도하셨습니다. 십자가, 그 고난의 잔을 옮기는 것은 술잔을 옮기는 것처럼 간단한 일이 아닙니다. 그런데 우리는 부활의 주님을 슈퍼맨 같은 인간으로 취급하지 않았습니까? "야, 죽여봐! 죽여봐! 하나도 안 아퍼! 사흘 있다가 부활할 거니깐, 죽여봐, 이놈아! 부활할 거지롱~!" 살을 찢고 들어오는 못 앞에서 예수님은 그렇게 이야기하지 않으셨습니다. 30cm가 넘는 쇠못이 3개나 박혔습니다. 손바닥에 간지럽게 핏자국이 남을 정도로 못 박히신 것이 아닙니다. 상식적으로도 손바닥에 못이 박히면 살이 찢어져서 십자가에 달려있지 못한다고 합니다. 그래서 무게가 아래로 당겨져도 십자가에 달려 있을 수 있도록 손바닥이 아닌 고리 같은 팔목에 못이 박히셨습니다. 그래도 몸은 여전히 아래로 당겨집니다. "나의 하나님, 나의 하나님, 왜 나를 버리십니까?"라고 소리지를 수밖에 없는 죽음의 현장을 예수님은 미리 아시고 계셨던 것입니다. 그 겟세마네의 기도는 신비스럽게 한 번 하고 마는 기도가 아니었습니다. "아버지, 무섭습니다. 살려주십시오." 그것은 결사적인 기도였습니다. 피를 토할 수밖에 없는 기도였습니다.

그런 이야기를 하고 있는데 지현이, 찬영이, 지윤이가 우는 것이 보였다. 그래서 집으로 돌아오는 길에 물어보았다.

"지현아, 찬영아, 지윤아. 너희들 왜 울었어? 너희들 좀 알아듣겠어?"

"아빠, 예수님이 진짜 그렇게 죽었어?"

"응."

"그러니깐 슬프지. 사람이 그렇게 죽었다는데 안 슬퍼?"

지현(최근)

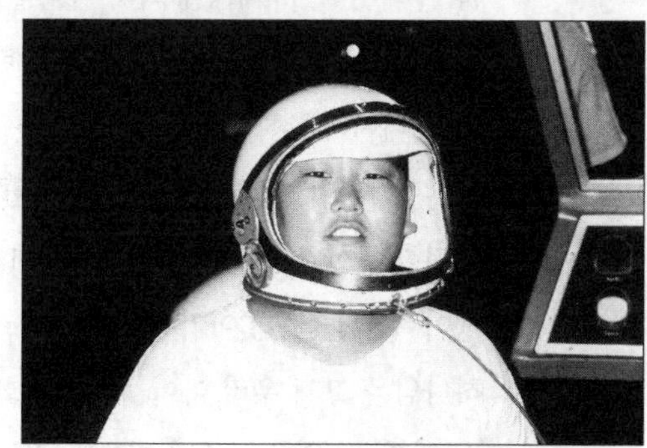

찬영(최근)

지윤(최근)

내 눈엔 천사같이 보이는 우리 아이들. 그런 우리 아이들에게 '죄인' 이라는 단어는 어색하기만 하다. 그래도 우리 아이들에게는 '나의 죄를 대신 해서 죽으셨다는 십자가의 사랑' 을 믿는 순수함이 있었다. 어려서부터 그렇게 하나님을 순수하게 좋아하는 것도 하나님의 선물이라는 생각이 들었다.

학교를 6개월 동안 쉬고 전도여행을 할 때도 우리 아이들은 씩씩하게 촌스러운 율동도 곧잘 따라했다. "하워드, 하워드" 하면서 미국인 리더의 손을 붙잡고 바디 랭귀지로 자신의 마음을 말하던 아이들. 언어가 통하지 않는 미국에 와서도 아이들은 적응을 빨리 했다. 뉴저지에 와서 아이들이 등교한 첫날 '밥을 먹으러 가라는 소린지, 화장실에 가라는 소린지 구분하지 못해서 힘들어 하면 어쩌나.' 하는 고민이 컸었다. 그런데 집으로 돌아온 아이들은 "학교가 천국 같다"며 좋아했다. 하와이 예수 전도단에서 정지한 듯한 6개월을 보내고 한국에 돌아왔을 때 '우리 아이들이 행여 수업을 못 좇아가면 어쩌나' 고민하기도 했었다. 그렇지만 하나님은 그때 우리 아이들이 타문화권에 적응하는 법을 가르치신 것이다. 우리 가족이 가야할 길을 아시는 하나님이 예비하신 축복의 시간이었다. 돌아보면 한순간도 하나님의 돌보심을 벗어난 순간이 없었다.

5 -1 = 0이 되는 사랑

나는 사람이 삐지는 꼴을 못 보는 사람이다.

1+1=2

"내가 너를 2만큼 사랑하니깐 넌 무조건 2만큼 행복해야 돼!"

내가 사랑하는 방식이었다.

그렇지만 사랑을 하다보면 이해할 수 없는 일이 종종 벌어진다. 내가 100만큼 사랑해도 상대방은 90만큼만 행복해하는 어처구니없는 일이 생길 때도 있다.

10×10=100

'나는 100만큼 사랑했는데도 왜 넌 90만큼만 행복해 하지?

나머지 10은 어디로 간 거야?'

지금은 사람이 삐지는 데는 기상천외한 원인들이 수없이 도사리고 있다는 걸 알지만 예전엔 그렇게 '수학 공식 같은 사랑'을 하고 있었다. 사랑하는 사람을 내가 원하는 대로 조정하려 했던 것이다.

그런데 결혼을 하고 가정을 이루어보니 사랑한다는 것은 '하나가 되어 가는 과정'이었다. 흙과 물이 만나 찰흙이 되어서 또 다른 무언가로 만들어지는 것처럼 말이다. 사랑에는 또 다른 묘한 공식이 있었다.

1+1=2 어느날 나와 내 아내, 김선아가 만나 둘이 되었다.

시간이 지나자

1+1=3이 되었고,

또

1+1=4가 되었고,

또

1+1=5가 되었다.

그러나 이제 5는 5가 아니라 하나였다.

그래서

5-1=4 가 아니라

5-1=0 이다.

왜냐하면…

지현이 없는 나는 내가 아니다.
찬영이 없는 나는 내가 아니다.
지윤이 없는 나도 내가 아니다.
그리고 내 아내, 김선아가 없는 나도 내가 아니다.

그래서 우리 가족은 '5 −1 = 0이 되는 사랑'을 하며 살고 있다.

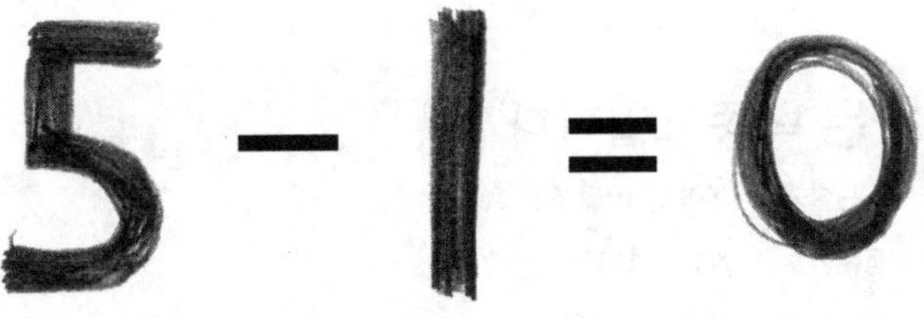

나는 박종호입니다

초판발행 2002년 10월25일
등록번호 제13-1171호
발 행 처 제네시스21(주)
발 행 인 박정희
지 은 이 박종호
구 성 최효경, 김태은
디 자 인 RGB
본문그림 김태은
주 소 서울시 영등포구 여의도동 12번지
전 화 (02)781-9270 · 팩스 (02)781-9276
홈페이지 www.genesis21.net
이 메 일 editor@genesis21.net

ISBN 89-7154-233-0 (03230)

값 8,500원